U0944067

萧乾 主编

新编文史笔记丛书

第三辑

30

◎甘肃省文史研究馆 编

●王惠科 师纶 唐学亮 主编

中華書局

目录

序 …………………………………… 萧乾

政坛拾旧

张广建包庇部属 ………………… 员戊 1
陆洪涛狙击黄中天 ……………… 柯杨 2
于右任幼时遇险 ………………… 马騄程 3
蒋介石巡视西宁 ………………… 白丁 5
蒋介石在甘肃兴隆山 …………… 篱君 7
甘肃的两次毁档事件 …………… 春浦 8
“西安事变”在甘肃 ……………… 张令瑄 9
在兰州处决的日寇和汉奸 ……… 范宗湘 11
朱绍良的用人 …………………… 篱君 12
朱绍良“祭海” …………………… 白丁 13
张治中与马良骏 ………………… 张尚瀛 15
邓宝珊智送徐永昌 ……………… 石佩久 17

卫国利民

谭嗣同倡导种牛痘 ……………… 黄英 19

马福禄正阳门殉国 …………………… 空　谷 20
张学良助青年求学 …………………… 言　微 22
薛笃弼重视民众教育 ………………… 朱太岩 23
蔡畅在庆阳倡导妇女放足 …………… 篱　君 24
慕寿祺挽冯致祥 ……………………… 邓　明 25
邓隆与西夏文 ………………………… 张思温 26
甘肃的“闯王”卢鱼耀 ……………… 张尚瀛 27

名人逸事

董福祥厚恩恕仇 ……………………… 师　纶 29
一桩未了的公案 ……………………… 石　寅 30
李世军过西安 ………………………… 王克江 31
宣侠父的一张照片 …………………… 空　谷 32
杨巨川在敦煌 ………………………… 言　微 34
天水进士哈锐 ………………………… 袁第锐 35
忆同窗吴晗 …………………………… 何之硕 36
高金城巧辱韩起功 …………………… 刘爱国 37
刘汝璠奇遇免祸 ……………………… 甄载明 38
陈嘉庚笔下的昔日兰州 ……………… 春　浦 39
首先提出“工合”的人 ……………… 汉国萃 40
马步青看戏 …………………………… 李德文 41
张厅长赴会被阻 ……………………… 袁　炜 42
于右任在张掖 ………………………… 张伯壬 43
张大千尊师范振绪 …………………… 尚　瑛 45
蒋介石参拜天水伏羲庙 ……………… 黄　英 46
李约瑟在甘肃 ………………………… 汉国萃 47
张大千珍爱红嘴鸦 …………………… 黄　英 49

焦菊隐在兰州 …………………… 韩卫之 50
蒋经国在兰州 …………………… 韩卫之 51
魏建功悼许寿裳诗 ……………… 师　纶 52
李约瑟丝路施药 ………………… 汉国萃 53
张治中轶事 ……………………… 王贤琳 54
叶丁易 …………………………… 李鼎文 55
邓宝珊与梅兰芳 ………………… 袁　炜 58
忆黎锦熙 ………………………… 李鼎文 59
“五同”与“六同” ……………… 赵世英 61

文海微澜

麦积诗境 ………………………… 匡　扶 62
肃州月令 ………………………… 赵燕翼 63
谭嗣同兰州留语 ………………… 田企川 65
六盘山对联之谜 ………………… 戴笠人 66
神庙巧对 ………………………… 甄载明 67
爱国的文史学者吴棣棻 ………… 王九菊 68
左宗棠书联 ……………………… 刘爱国 69
李叔坚二三事 …………………… 李鼎文 70
李于锴赠安维峻诗 ……………… 袁第锐 72
何鸿吉轶事 ……………………… 王秉钧 74
怪贡生杨成绪 …………………… 草　实 75
杨增新题镇边楼诗 ……………… 袁第锐 76
于右任、张群怀念胡景翼诗 ……… 胡希蕴 77
陈炳奎赛题《菊花诗》 ………… 唐善宝 78
刘尔炘遗诗 ……………………… 杨国桢 80
无名氏挽何戒僧对联 …………… 张尚瀛 81

甘肃最早的进步妇女刊物 ………… 王九菊 81
《工合先锋》和《工合社友》 ………… 汉国萃 82
张恨水吟甘肃荒旱 ………… 甘 农 83
顾颉刚与边疆研究 ………… 汉国萃 85
高一涵咏羊皮筏子诗 ………… 袁第锐 86
赵寿山书写“启众楼” ………… 郭 铠 87
邓宝珊谈诗论文 ………… 马骕程 88
张质生忧国忧民诗 ………… 师 纶 90
黎锦熙迎新诗 ………… 袁第锐 92
罗家伦《西北行吟》诗集 ………… 刘大有 93
张建侯遗诗 ………… 李鼎文 94
马啸天射“虎王” ………… 田企川 95
任震英赋诗澄华井 ………… 梁新民 96
慕寿祺与范振绪张谜对垒 ………… 田企川 97

教育掠影

甘肃设学政之始 ………… 马骕程 99
王世相的甲午制举策试卷
………… 王勋业 王勋成 100
金榜题名 ………… 杨国桢 101
立诚中学 ………… 胡希蕴 102
闯开大学女禁的邓春兰 ………… 王九菊 103
我参加的一次考试 ………… 马礼常 105
知弟子者莫如师 ………… 马骕程 106
李恭受业于章太炎 ………… 张西原 107
郭维屏协助西北师院建校 ………… 王九菊 108
盛彤笙与我国第一所畜牧兽医学院

……………………………… 张西原 109
忆庚款临洮讲习会 ……………… 权少文 110
我所知道的辛树帜 ……………… 王秉钧 111
李嘉言 ………………………… 李鼎文 113

艺林撷枝

凉州“贤孝” …………………… 李德文 116
兰州太平歌 ……………………… 朱太岩 118
漫话兰州鼓子 …………………… 张西原 119
颜鸿都作画 ……………………… 邓　明 120
爱国“三弦圣手”唐万寿 ………… 张尚瀛 121
常香玉在平凉 …………………… 曹　恭 122
回忆管夫人在兰州的演出 ……… 柴木兰 123

民族风情

藏学家才旦夏茸活佛 ………… 青海·谢热 124
保安腰刀的传说 ………… 保安族·马少青 126
永登“吉普赛人” ……………… 戴晨光 127
十世班禅大师的坐床 ……… 青海·拉毛措 129
回族“和平老人”郭南浦 ……… 言　微 133
裕固族的婚俗 …………………… 春　浦 134
甘南藏包子 ……………………… 马天彩 135
塔尔寺的艺术三绝 ……………… 白　丁 136

胜迹觅踪

我国最早的地图出于天水 ……… 冯绳武 139
古浪县名的由来 ………………… 赵燕翼 141

郭沫若与铜奔马 …………………… 陇 丁 143
南郭寺三绝 ……………………… 周法天 144
敦煌白马塔 ……………………… 张尚瀛 147
诗人笔下的炳灵寺 ……………… 匡 扶 148
兰州淳化阁帖石刻 ……………… 少 文 149
天下黄河第一桥 ………………… 张西原 150
凉州感通塔西夏文碑 …………… 张思温 152
弘化公主墓 ……………………… 杨常青 153
嘉峪关击石燕鸣墙 ……………… 甘 陇 155

特产民俗

熠熠生辉夜光杯 ………………… 马天彩 156
凉州葡萄与葡萄酒 …… 赵以太 骆 曼 158
说洮砚 …………………………… 马天彩 159
苦水玫瑰飘香 ………… 赵朋柱 雷健全 161
兰州百合 ………………………… 张西原 162
陇西“金钱肉”与“腌驴肉” ……… 马天彩 163
著名的兰州刻葫芦 ……………… 王九菊 164
青稞麦索 ………………………… 骆 曼 166
甘肃分家习俗 …………………… 甘 农 167
沙米凉粉 ………………………… 骆 曼 168
兰州卖水人 ……………………… 清 波 169
“烧秦桧” ………………………… 王九菊 170
甘肃民间的舞龙 ………………… 张尚瀛 171
陇东塬上话“吹事” ……………… 谢 宠 172
抢寡妇 …………………………… 赵世英 173

社会经纬

甘肃藩署的鸽子 …………………… 王九菊 175
武林义士蒋万青 …………………… 李德文 176
黄河上的“羊报” ………………… 篱　君 177
愿为秋瑾提供茔地的尼姑 ……… 唐善宝 178
武威大地震 ……………………… 徐作红 180
刘卫石轶事 ……………………… 张忠诲 181
“留一分” ………………………… 篱　君 182
“惜阴歌”与“日历歌” …………… 旧　居 183
通往麦积山石窟公路的始建 …… 刘大有 184
“虎标万金油”骗局 …………… 张尚瀛 185
水梓嘲讽兼差兼薪者 ………… 袁　炜 187
罕见的记忆力 ………………… 甄载明 188

后　记 ………………………………… 190

序

萧　乾

读书界向来对野史有所偏爱。野史大多是信手拈来的历史片断，且往往出自亲历者之手。文直事核，不虚美，不隐恶，而文笔潇洒自如，意味隽永，自然朴实，篇幅不长；可以摊开来仔细咀嚼，也可供茶余酒后、行旅倥偬中，随手浏览。

鲁迅在《华盖集》中，曾几次对野史表示过好感。在《忽然想到》一文中写道："历史上都写着中国的灵魂，指示着将来的命运，只因为涂饰太厚，废话太多，所以很不容易察出底细来。正如通过密叶投射在莓苔上面的月光，只看见点点碎影。但如看野史和杂记,可更容易了然了,因为他们究竟不必太摆史官的架子。”又在同书《这个与那个》一文中说:“野史和杂说自然也免不了有讹传,挟恩怨,但看往事却可以较分明,因为它究竟不像正史那样地装腔作势。”

全国文史研究馆所编的《新编文史笔记》丛书,内容也属野史杂说的范畴。我们希望这些以亲闻、亲见、亲历为主的轶事掌故、琐闻杂记,写人、事而摒除误会曲解,述历史而符合真实面目。

作为一种短隽有味,文字清奇而又雅俗共赏的文学体裁,笔记在中国具有悠久的传统。它始自魏晋,盛行于宋代。南朝刘义庆的《世说新语》,北宋沈括的《梦溪笔谈》,南宋陆游的《老学庵笔记》,明朝张岱的《陶庵梦忆》,清朝纪昀的《阅微草堂笔记》以及20世纪30年代初丰子恺的《缘缘堂随笔》,都是文学史上的奇葩。然而,近年来笔记乏人问津。因此,我们出这一套书,也包含着挽回颓势之意。

全国三十二所文史研究馆拥有雄厚的稿源,两千多位馆员和各馆联系的社会人士,都是丛书的撰稿人。他们都是文史界的耆宿,见多识广,阅历丰富:有的反对过帝制,有的在“五四”运动中扛过大旗,他们目睹过军阀的横行霸道,也经历过艰苦卓绝的八年抗战。这些历尽沧桑的饱学之士,他们的所见所闻,都是弥足珍贵的史料。

本丛书分辑出版，分别由各地文史研究馆编辑，内容亦以本乡本土为主。因此，各册势必具有浓厚的地方色彩。

本着笔记固有的传统，所收各文题材不嫌庞杂。举凡与文史有关的政治、经济、军事、文化、社会等方面，或记闻见杂事，或叙往昔交游，或忆社会百态，均在搜罗之列。时间跨度则自清末以迄1949年为止。这正是中华民族从闭关自守到走向世界，从落后羸弱到奋发图强，是天翻地覆、风起云涌的大半个世纪。其间，发生过多少可歌可泣的事迹，涌现过多少杰出的人物。以这一时间跨度为背景题材写出的笔记作品，必然是内容最为丰厚的。

在选稿标准上，我们坚持史料一定要真，内容要新；既要防止以讹传讹，也力避炒冷饭。在写法上务求短小精悍、生动活泼。每篇以千字为度，希望借此在文风方面，提倡一下简约。在版式上，则想做到既利于阅读，又便于携带。

恳切希望文史界方家及广大读者，不吝赐正。

张广建包庇部属

员　戊

张广建青年时屡举不第，清光绪年间流落到天津，住一旅店中，既无店钱、饭钱，又身染疾病。在走投无路之际，天津士绅张士珍，不仅管他吃、住，而且还掏钱给他治病。后来张广建投靠到袁世凯麾下，官运亨通，步步青云。民国初年，当上了甘肃督军兼民政长。张士珍闻讯来到兰州。1917 年，张广建先任他为盐务局长，后又任武威县知事。

"金张掖，银武威"，武威县知事自然是个肥缺了。张士珍到武威后，大肆搜刮，敲诈勒索。只要听到谁家有书画古玩之类，就不择手段地要讹索到手，有的旧族世家被逼得含冤入狱，家破人亡。

张士珍还以禁烟为名，巧取豪夺。武威盛产罂粟，人称“凉烟”，与“热烟”(热河产)齐名。名为禁烟，实为督种，巧立名目，征收烟税。仅此一项就有好几万两白银流入他的私囊。

他收金用的戥子更可恶，十两银子在他的戥子上一称，就变成了八九两，他用这种方法又不知坑害了多少人。被害者有的到兰州控告，张广建下令：谁告状就抓谁。这使张士珍更有恃无恐。

张士珍在武威不到两年，就聚敛了七八万两白银。他将这些白银装在二十具骡驮子里，上面伪装玉石等物，经包头、绥远草原北路运回天津。他用这些钱在天津开了一爿“明义号”大米庄。在兰州中华路(今张掖路)也开了个“明义号”绸缎庄，由其堂弟张庆芳经理，人称张八爷者是也。

陆洪涛狙击黄中天

柯　杨

1921年，甘肃临洮黄文中，字中天，从日本留学归国后，任甘肃省教育厅第一科科长。因他在演说中倡导民权主义并多次指责甘肃省政之腐败，为甘肃督军陆洪涛所忌。某日，陆唆使其部下黄得贵派兵狙击黄中天于兰州安定门附近之土桥边，黄头破齿落，血流满地。傍晚，路人中有相识者，将黄赶送医院抢救，幸免于死。黄后来自号“再来人”，盖源于此。

兰州五泉山小蓬莱企桥上，曾悬黄中天所撰写之楹联一副，其词曰：“水边春草绿，山外暮天青。”联旁题款中说：“余自遭狙击后，得庆更生，重游胜境，滞态顿消，题此志感，不计工拙也。临洮再来人黄文中并识。”

于右任幼时遇险

马骕程

1940年秋，我入国立中央大学。某日，与同乡安兆恩、王宜农一同去看时任监察院院长的于右任。于先生听说我们都是甘肃省民勤县人，他高兴而又感慨地说：“甘肃是我的舅家，民勤有救我的恩人。”他沉思了片刻，接着说：“我的父亲是陕西三原人，青年时因家境困难，无以为生，遂逃到甘肃静宁为人佣工。及壮，结了婚。我母亲是静宁穷苦人家的女子。当我五岁时，父亲也老了，把家里的东西卖了，买了一头驴，准备返回三原。时值冬天，母亲骑上驴，抱着我。父亲跟着驴步行。路过六盘山遇到强盗，把我父母捆起来，投到山沟里，把驴子和衣物都抢走了。过了不久，忽听骆驼铃的声音。我们就大喊：'救人！救人！'拉骆驼的人近前给我父母松了绑。交谈之后，得知他们是镇番人，去三原驮棉花、茶叶，恰和我们同路。他们让我的母亲抱着我骑在骆驼上，给我父亲披了一件短皮袄跟着他们走。走了几天，到了三原。我们原有两间旧房子，他们帮助我们把房子收拾好，给了我们不少的烧柴和食物。这样，我们才安了家。"于先生说到这里，沉思了一会，又说："我出身是很贫寒的。当我生活富裕起来的时候，我没有忘掉舅家，更没有忘掉救了我们的恩人。你们是民勤人，民勤就是过去的镇番。那里风沙大，人民勤劳。你们有机会上大学，是很不容易的事，一定要认真学习。现在是抗日战争时期，'天下兴亡，匹夫有责'啊！"这是我和于先生的第一次见面，他那和蔼的仪容，由衷的勉励，给我很大的鼓舞。

1947 年春，我在南京任国史馆协修，将以前所作诗文汇集成册，名曰《蚕丛鸿爪》，请于先生签署了书名，并给我写了条幅，至今存焉。

蒋介石巡视西宁

白　丁

1942年8月20日，蒋介石在兰州召开甘、宁、青、新四省军事会议时，专门召见青海省政府主席马步芳及其兄马步青，说他要到青海巡视。两马又喜又惊，星夜返回西宁，紧急筹备迎接事宜。马步芳在每一细节上，都绞尽脑汁，以防纰漏。把他在省政府内的住室腾出来，作为蒋的下榻之处。室内所有设备全部重新购置，即使桌布、椅垫、茶杯等，都在式样、花色上亲自设计、挑选。对接待礼仪，强调在严肃隆重的大原则下进行周密安排。对到机场迎送的高级军政人员，亲自审定列队名次。下令将街道门窗、墙壁粉饰一新，并悬旗结彩，日日分段负责洒扫，不准有柴草杂物。省政府内外门口、城关大街各十字路口，均扎结大型牌楼，从大通县运来大批新鲜松枝，精心点缀。规定当蒋到来时，集合省市机关、学校人员在城关大街夹道欢迎。每逢蒋用餐、出入之际，均应奏乐。警卫方面，尤其注意。规定在城郊三十里警卫线内的居民都要穿新衣服，出门不许过早或过迟，夜间则处于戒严状态。白天不许饮酒喧哗，严禁老弱残疾和乞丐外出。调集大批部队，层层封锁，固定守卫，并由

其亲信高级将领率队巡逻。所有省政府及附近警卫人员，均选拔校官以上心腹充任；省政府院内的警卫工作，由马步芳、马步青亲自负责。在三天前，将省市军政警教人员集合于小教场，要求人人理发整容，检查着装，组织编队，演习礼节。按机关编为若干队，机关主管任领队。并秘密指定检察人员，以防意外。对应召前来的蒙古王公、藏族千百户和阿訇、活佛等，均定出进退规矩，使之反复演习。马步芳、马步青则身着戎装、穿马靴、戴白手套，时时对镜顾盼，以防疏漏。

蒋介石于 8 月 26 日飞抵西宁，随行有钱大钧、顾祝同、谷正伦、朱绍良、胡宗南、戴笠等人。次日在省政府大礼堂举行隆重的欢迎仪式。马步芳在蒋面前，表现毕恭毕敬。蒋在室内坐自带之藤椅，正襟危坐，阅览《曾胡治兵语录》，马步芳侍立于侧，立正一小时，未移动脚步，马步青则在外院副官处待命，深得蒋及戴笠等的好感。

27 日，宋美龄亦飞抵西宁，马步芳对她更为恭顺。宋拟赴马之私邸访问，马恐家人失礼，以回民妇女不敢露面为由，婉言辞谢。宋以几大包珍贵首饰交马向其家属转送，马即从家中拿出较为逊色的首饰作为答礼。

蒋介石到了塔尔寺，接见了寺主阿嘉活佛，提笔写楷书“护国保民”四个大字(此匾今存)，并布施二万元。又到了西宁东关清真大寺，也是题匾并赠送二万元。马步芳以个人名义向蒋献骏

马五百匹，以蒙藏上层名义献马三千匹及鹿茸、麝香十多箱。马步芳还向宋美龄赠送紫羔裘皮三百件，直接空运重庆。蒋介石拨给马步芳部队犒赏费十万元，并与马步芳等合影留念。蒋28日离开西宁，径飞酒泉，临行时称赞马步芳部队为“岳家军”，勖勉其“精忠报国”。

事后，马步芳对他的亲信说：“我们多送礼，给人家印象反而不好。现在不是显富的时候，礼当(土语，即礼物)越简单越好，穷了人家不注意。送点军马、羔皮，都是土产，既本分又实在。”

蒋介石在甘肃兴隆山

箫　君

1943年3月，甘肃省政府为迎接蒋介石来兰州视察，特选定在榆中县兴隆山栖云峰下白云观前山坡平台上，修建一座招待所“行宫”(今名“蒋公楼”)。它是一幢精美别致、庄严深邃、兼有中西建筑物之美的小别墅，掩映在万绿织锦、浓荫环抱、小桥流水之中。

“行宫”为两层砖木结构建筑。外墙是三合灰抹面，内墙是石膏涂白，深红油漆地板。一楼有楼厅、候见室、侍从人员休息室、会议室，二楼有会议室、办公室、机要室、化妆室、卧室、洗涤室、卫生间。楼内细软陈设，都按蒋介石、宋美龄的喜好布置。

1943 年 8 月 3 日，蒋介石偕宋美龄由渝飞兰，即由第八战区司令长官朱绍良、甘肃省政府主席谷正伦等军政要员陪同，乘车直奔兴隆山招待所。沿途公路两旁，"行宫"周围的山头上，警卫部队三步一岗，五步一哨，荷枪实弹，严密封锁着通山要道。除招待人持有"特别通行证"验证通行外，其他人均不得近前。

蒋介石在兴隆山"行宫"召开西北军政会议，参加会议的高级将领有：张治中、朱绍良、白崇禧、顾祝同等。被召见的军政要员有：胡宗南、孙蔚如、谷正伦、马步芳、马鸿逵、宋希濂、赵寿山等。蒋于 8 月 10 日离兰返回重庆。

蒋介石在兴隆山"行宫"期间，他和宋美龄专有随侍厨师备餐。侍从室人员和前来谒见的要员，则由兰州太平洋酒家承办膳食。

蒋宋夫妇还按照蒙古族祭祀仪式，祭奠了成吉思汗灵位。现"蒋公楼"依式整修向游客开放。

甘肃的两次毁档事件

春 浦

甘肃在民国时期，曾发生两起焚毁省政府历史档案，灭绝地方文史资料的事件。

其一是甘肃省财政司司长田骏丰(甘肃甘谷人),于1913年7月23日,以年代久远、纸质霉烂为由,将原甘肃省布政司使署保存明、清两代的财政档案计十数屋之多,全部焚毁。

其二是甘肃省财政厅厅长梁敬錞（福建闽侯人),于1943年,以原有1915—1925年全省财政档案,因在1939年12月26至28日,日寇飞机连续三天轮番轰炸兰州,一些档案被炸毁,所剩残卷无保存价值为由，呈请省主席谷正伦批准,将十万余宗档案,按废纸价售造纸厂,派员监视,化为纸浆。

田、梁二人之焚史灭迹,所持理由都是站不住脚的,应该受到历史的谴责。

“西安事变”在甘肃

张令瑄

1936年秋，张学良将军为使蒋介石停止内战,一致抵抗日寇侵略,决定实行兵谏。张于11月间飞抵兰州,与其亲信将领、甘肃省政府主席于学忠缜密筹划,旋于平凉召集于学忠、王以哲等高级将领及西安绥署主任杨虎城举行会议,决定行动计划。

12月12日凌晨在西安把蒋介石及国民党中央军政要员扣押起来。张学良密电兰州联络参谋解沛然，让他传令在兰东北军监视在兰中央军动向，并立即缴械，将高级人员一律拘押。当时于学忠及其五十一军师长李振堂、牟中珩、周光烈均奉召去西安，解沛然迅急告知军参谋长刘忠干、甘肃省政府秘书长周从政，先以宴请的名义，将绥靖公署处长以上人员全部拘留。其中计有参谋长章亮琛、总参议张春浦、秘书长公燕翼、兰州警察局长史铭等十余人。军需处长王式辉、青海省政府驻兰州办事处处长杨继高闻变出逃，被误伤殒命。当晚七时，解沛然冒着炮火，带领部队先进入绥署院内，对胡宗南部进行包围攻击，解除其武装，毙伤七十余人，俘获一千二百余人。这样历时三四小时，兰州恢复正常秩序。并向全国通电拥护张学良、杨虎城提出的抗日救国“八项政治主张”，向甘肃全省公布事变经过。连日在兰州召开各界人士代表大会，宣传抗日救国的重大意义，掀起了兰州救亡运动高潮。

13日，驻甘肃平凉的王以哲部率部响应，成立“平凉人民委员会”，“平凉学生联合救国会”，并改组原《新陇日报》为《人民日报》。

兰州积极响应“西安事变”(又称“双十二”事变)，是全国唯一的壮举，扩大了张、杨兵谏的政治影响，表达了全国人民的爱国愿望。

由于西安形势急剧变化，12月14日于学忠飞回兰州，令财政厅长陈端面，于26日将关押人员释放，并发还原各部队的枪械。

"西安事变"解决之后，蒋介石施行报复，1937年4月，明令免去于学忠的甘肃省政府主席职务，旋又调于的五十一军及东北军全部开往江苏,将五十一军的四个师裁编为两个师。

解沛然即解方,中共党员。解放后,朝鲜战场和谈时为中方代表。后任人民解放军后勤学院副院长。

在兰州处决的日寇和汉奸

范宗湘

1937年9月2日从河西开到兰州街上的五辆大卡车，前两辆押着十几个日本鬼子和几个汉奸,后三辆装着长电杆、电台、机械器材和行李罐头食品等物资,由宪兵持枪押送。车后两旁的人群举起拳头,高呼"打倒帝国主义"的口号。有人用石子投掷日寇,围困达三四小时之多,方被押入学院街(今武都路东段)交省会公安局侦缉队监禁起来。原来这伙日本鬼子是由日本关东军派出来的间谍,携带电台、枪支和大批物资在额济纳旗二里子河东庙、安西等地潜伏下来，设机关部、建飞机场,刺探我西北军情,搞间谍活动,企图打通日德国际路线,切断中苏交通。被我住二里子河治安部门发现,立即报告南京，军事委员会紧急电令宁夏、甘肃两省派兵包围

扣押。当时西北行营主任朱绍良不在兰州，代主席贺耀组主持对这伙敌寇汉奸进行审讯，得知他们是日本特务机关长、少将江崎寿夫、少将横田、秘书大西俊仁、电台台长松本平八郎等十三名日籍特务及五名汉奸。敌人的侵略行径，人赃俱全，无可抵赖。

这时日寇已挑起“七七事变”，抗日烽火全面燃起，经报请南京中央批准，就地将这伙日寇、汉奸全部正法，为中国人民痛快地出了一口气。

朱绍良的用人

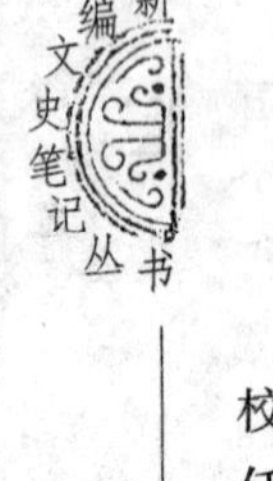

朱绍良，字益民，福建闽侯人。日本士官学校毕业。1933年7月至1946年4月，曾两度出任甘肃省政府主席，又任陕甘青绥靖公署主任，第八战区司令长官等军政要职，在甘肃稳坐了十二年之久。他从来自命不凡，以宽厚、稳健、量大、虚怀自许。对蒋介石抱“士为知己者死”的忠诚，更要求部下对他同样忠诚，因此他主张“用奴才不用人才”。用人不问德才如何，只要对他“忠诚老实，唯命是从”就认为合格，章亮琛是个绝好的例子。

章亮琛，福建人，朱之同乡，平庸无才，处世马虎，好吃贪睡，得过且过。唯一的特长是最善迎合朱意，以奴才自居，以听话为宗旨，唯唯诺诺，讨得朱绍良的欢心。因而从驻甘绥靖公署参谋长、六路军总指挥部参谋处长，居然高升到第八战区司令部参谋长要职。

1941年，蒋介石在重庆召开军事会议，朱绍良率同章亮琛参加会议。因章身体肥胖，且素来精神委靡，正当开会时，他竟睡着了，一时鼾声大震，惊动了会场。正在主持会议的蒋介石大为恼怒，便指着章亮琛问道："在五原战役中傅作义的步兵和门炳岳的骑兵是怎样配合作战的？"章瞠目不知所答。朱绍良在蒋介石的怒目逼视下，颇受其窘。

会后，朱、章回兰，遂接到蒋介石的电报，其中有这样两句话"……这样的人如何能作参谋长？闻兄专好用'拉污'之人……"。朱绍良不得已，只好把章亮琛免职。

朱绍良"祭海"

白　丁

烟波浩淼的青海湖是青藏高原上一颗璀璨的明珠。古人曾将它神化，唐玄宗天宝十年(751)封青海湖神为广阔公，遣使礼祭。此后历代均有"祭海"活动。清光绪三十四年(1908)更在湖边修建了一座“海神庙”(已毁)。其实,统治者这种“祭海”,不过是一种神道设教的手段,无非是为了宣威与敛财。民国以来,沿袭不改,宋子文、邵元冲、朱绍良都曾前来“祭海”,以朱绍良的“祭海”规模最大。

民国二十九年(1940),蒋介石指派第八战区司令长官朱绍良“祭海”。青海省政府主席马步芳为了应付这一大典,责成湟源县与省政府有关部门组成筹备处,专门负责这一任务。在商会征购茯茶二千多封,酒一千多斤以及大批高级香烟、糖果、红绸、哈达等,摊派民伕承担运输。又准备崭新双层花纹蒙古包式的帐房八顶、普通帐房一百多顶。摊派民伕数百名,星夜赶修湟源到日月山的一段公路。还调两个骑兵营布岗护卫。

农历七月十四日,从兰州来的朱绍良及其随行人员,由马步芳陪同,自西宁出发,乘汽车来到湖滨。事先已通知湟源地方官吏、士绅和百姓,张灯结彩,夹道欢迎;蒙古王公、藏族千百户在离湖二里的地方,骏马盛装,伫立迎候。汽车队到达,立即鸣放鞭炮,高奏藏乐。朱等下车后,由刚察千户华卜藏为代表,向朱、马献哈达致敬,当晚宿于帐房。

十五日,祭台上早已摆上屠宰的牛两头、羊八只及糖果等供品,地方官员、蒙藏各族数百人列队伫立。早八时举行祭海典礼,由朱绍良主祭,奏乐、鸣炮、升国旗、三鞠躬、读祭文,将供品及活羊十余只投入湖中，即宣告礼成。之后，朱绍良讲话，强调“精诚团结，服从命令”。马步芳讲话，要求“整军经武，为政府效力”。又由刚察千户代表蒙藏各族向朱绍良献哈达，并以银壶、铜杯盛酒，举行最尊敬的敬酒仪式，献上骏马一百匹，绵羊数百只以及鹿茸、麝香等贵重土特产品。朱一一过目收下，并回赠每人茯茶一包及糖果，还将他的照片分赠给王公、千百户。王公、千百户献给马步芳的骏马二百匹及大批土特产品，因马事先暗示不要在会上公开，遂在会后再送去。朱绍良将献给他的一百匹骏马交军政部直属的贵德军马场，马步芳则暗令在中途以弱马、病马顶替，将骏马补充了他的骑兵部队。

张治中与马良骏

张尚瀛

1946年，张治中将军作为西北行辕主任兼新疆省政府主席，和平解决了新疆问题。当时在新疆宣教的马良骏阿訇，是甘肃省张家川回族自治县上达乡上磨村人，学识渊博，遐迩闻名。从1913年起任新疆哈密地区陕西清真大寺掌教，在新疆各地宣教达四十年之久，被新疆乌鲁木齐等地二十三坊穆斯林一致推选为全疆回民总教长。他对张治中将军和平解决新疆问题十分佩服。在张将军的推荐下，马良骏阿訇被任为新疆监察使。1947年，马良骏将所著《考证回教历史》一书，请张治中将军写序文。张将军序文写道：

新疆和平奠定之次年，马大阿訇良骏先生将就任新疆监察使。出所著《考证回教历史》以示余。窥其要义，凡有三端：追叙吾国回教一脉相承之渊源，阐明世界各教精神相同之原理，与其个人依据伊斯兰教义，期求全世界永久和平之宏愿是也。我国自隋唐以来，为回教建立寺院，安居来士，俾便修习，史不绝书，历历可考，固无论已。而东海西海，心同理同，回谓真主，耶谓上帝，儒家所云天道，精神一致，马先生言之亦详。至于止息战争，永奠和平之主旨，则为全部精神所寄托……又曰：'若能抱良善宗旨者，必得其心平，人心平，则无不平矣！又何战争之有哉！'斯数语，可谓尽之。尝考伊斯兰一语，意谓和平，乃与战争仇恨相对之词……后世不察，谓左手执经，右手执剑，以讹传讹，流弊所及，岂可胜言。和平之基在于平，战争之端启于恨，而恨之来，莫大于狭隘之种族观念。圣训云：'忿恨使他们愚昧了。'又云：'提倡宗族主义或为宗族主义而战争者，不是我的信徒。'凡伊斯兰教徒，苟能善体穆圣教旨，舍弃一切使人愚昧狭隘思想，而入于亲爱和平之大道，则岂止

享受永久幸福，亦伊斯兰教未来无限之光耀。……民国三十六年九月四日张治中。

从中我们可以看到张治中将军对宗教研究之精深和学识的渊博。他和马良骏先生主张消灭战争、建立世界和平的主张，至今仍有其现实意义。

邓宝珊智送徐永昌

石佩久

徐永昌原是国民第三军孙岳部下的师长，和邓宝珊的关系最早最深，后来投了阎锡山，在山西和傅作义的交情也好。1948年末，在解放大军兵围北平城下，傅作义与解放军进行和谈之际，蒋介石派时任国防部长的徐永昌飞到北平，打算劝傅突围南下。因为当时北平蒋的嫡系部队多于傅部十倍，且徐与傅部的许多将领也都有一定的老关系，因而徐永昌的到来，成为和谈的一大障碍。傅作义就请邓宝珊设法逐徐。邓胸有成竹地去见徐永昌说："天津已经丢失，北平成为一座被围的孤城，是战是和必须在眼前决定。次辰(徐永昌字)兄能来与宜生(傅作义字)共患难，真是难得。现在宜生叫我来请您参与决策呢!"徐永昌听后暗自思忖，北平一帮名流呼吁和平的消息，已登在报上，傅派邓请我来参与决

策,不管是战是和,都是自己没有完成劝傅“突围南下”的使命,如何敢插手此事! 不如一走了之。只好对邓说:“有失厚望,有失厚望!我这次来平,只是替人传命而已,不能久留,下午我就要乘飞机飞南京。关于和战问题, 请你们商讨决定。”徐永昌就这样灰溜溜地走了,使傅的和平起义得以顺利进行。

谭嗣同倡导种牛痘

黄　英

清光绪四年(1878),年方十四岁,后成为“戊戌六君子”之一的谭嗣同,随任职巩、秦、阶道的父亲谭继洵来到甘肃秦州（现天水市)。时值大旱,鲁、豫、陕、甘数省,赤地千里,饿殍遍野,时疫流行。谭继洵一行病倒途中,历尽艰辛。

谭继洵到任后,在兴修水利,发展蚕桑,严禁鸦片的同时,还十分重视疾病的防治。为了预防天花,他在秦州城内设置了牛痘局,配备专职医官,每年春季谷雨后为儿童施种牛痘,并用自己的俸银购买了牛痘苗。当时,距英国人琴纳于

1796年发明牛痘接种虽已八十多年，但秦州百姓仍以祖传的人痘鼻苗种痘。谭继洵再三倡导，老百姓仍不相信种牛痘确比人痘高效而安全，竟无人敢于轻试。

少年谭嗣同深知父亲劝百姓种牛痘的苦心。他虽在北京已种过牛痘，但为了现身说法，又带头在自己身上种了牛痘，这才消除了人们对这一新生事物的畏惧心理。谭继洵大喜，对来种牛痘的儿童给以奖励，并派人观察接种效果。老百姓深受感动，牛痘在秦州终于普遍推广。据《秦州志》载："时地方尚不知有牛痘，公设局劝种，民不之信，以己子先之，有从之者，奖以彩帛，遣人日往看问，民感其诚，久之始兴。"

戊戌变法失败，谭嗣同英勇就义时年仅三十四岁，其一生三分之一的峥嵘岁月，在甘肃度过，足迹遍及陇南、陇东、兰州、河西……，纵马习武，诗酒酬唱，留下不少佳话，传诸父老口碑。带头种牛痘虽区区小事，亦可见其为国为民慷慨精神之一斑。

马福禄正阳门殉国

空　谷

1900年庚子之役，董福祥率甘军拱卫京畿，编为武卫后军，其部将马福禄所统的简练军马步七营是一支劲旅。

八国联军侵占沽津后，贪心未足，又由英国海军中将西摩尔率二千余人乘火车西进，企图占领北京。马福禄奉命前往廊坊阻击。在义和团大力支援下，马福禄事先设伏待敌。6月18日，侵略军乘车到来，见有阻兵，下车迎战。马福禄为避敌人火力优势，采取“敌近始发枪”的近战、拼杀战办法，给敌以重大杀伤；待到敌人展施炮火时，又令部队“散处蒿莱间”，使敌人无以施其威；然后两翼包抄夹攻，把敌人打得懵头转向，只好弃尸乘车，狼狈东逃。这一仗，双方均有不少伤亡，被史家称之为“庚子之役第一恶战”。

廊坊阻击战之后，马福禄部奉命驻守北京正阳门城楼，参加攻打使馆的战斗。这时的使馆，由于事先有洋兵进入，在城墙上设栅拒守，并企图夺取正阳门，威逼皇宫。马福禄率部血战数日，夺其七栅，仅一栅未下。7月2日夜间，敌人趁大雨骤然反扑，马福禄率部迎战，不顾密集的弹雨，身先士卒，大呼跃栅，击杀敌数十人，不幸被敌弹击中，立时殁于阵上；其从弟、侄及将士多人也相继阵亡。其弟马福祥临危不乱，激励将士组织反击，将敌军击退，才将烈士忠骨收回，马福禄遗体葬于西郊三里河回民公墓。

马福禄(1854—1900)，字寿三，回族，甘肃省河州(今临夏回族自治州)人。体格魁梧，气力过人，十二岁即单骑逐狼，缚之而归。光绪六年(1880)中武进士。殉国后，清廷追封为振威将军，

谥曰忠烈。中华人民共和国成立后,其长子马鸿宾(曾任甘肃省副省长多年)奉其灵柩迁回临夏韩家集阳洼山安葬。是处崇陵阜冈,绿草如茵,近年勒石立碑,常有人前来凭吊,成为向当地青少年进行爱国主义教育的场所。

张学良助青年求学

言　微

1928年冬，十八岁的刘中仁从通化到沈阳考学。因考期已过,困居客栈,举目无亲,费用无着。无奈之际,贸然给时任东北保安总司令的张学良将军投书求助。几天后,不意接到帅府电话通知,令其前往。刘到帅府,通过承启官,见到了张学良。只见张将军身着黄呢军装,臂戴黑纱(为其父戴孝),留有小黑胡,目光炯炯,精明英俊,态度和蔼地对刘说:“你是刘中仁么?你的信我看到了,写的作的都很好。我先给你拿点钱,把店账开了,明天搬到帅府等考学校。一切学费,由我负担。”当即令付给现洋四十元,并安排刘到帅府学馆与少爷、小姐同读。但因刘英文程度低,被教师拒绝接收。张将军又令刘持由其签名的介绍信到同泽中学就读。寒假时,张将军又批给二十元,给刘作探家路费。后来,校方探知刘中仁与张将军无任何关系，遂借故将刘排挤出

校,将给刘的学费另行安排了他们的亲朋。

刘中仁现任甘肃省人民政府参事室参事,已是八十余岁的老人,每言及当年情景,仍感慨唏嘘,对张将军感激之情溢于言表。

薛笃弼重视民众教育

朱太岩

1926年,冯玉祥部国民革命军(简称国民军)入甘,薛笃弼为甘肃省长,给甘肃省会兰州带来了不少新气象。首先,在庄严寺(今《兰州晚报》社)建立民众教育馆,设有好几个展览室,展览甘肃自然资源标本、土特产样品,宣传卫生保健常识,陈列历史文物和象征民族团结的各族历史伟人黄帝、努尔哈赤、成吉思汗、宗喀巴的画像及其传略。并利用院中空地展出一些野生动物如狼、狐、熊、猞猁、马鹿等的标本,环绕松柏树干编织铁丝网笼,饲养鹫、鸮、鹦鹉、八哥、鹌鹑之类。还设有图书阅览室、儿童运动场、游艺室等。一时男女老幼,游者如织。在永福寺(俗称木塔寺,今甘肃军区干休所),利用后院空地设立公共体育场,有秋千、浪桥、乒乓球室、篮球场等,供市民业余活动。又在普照寺(今兰园)开辟中山市场,作为小商小贩摆摊设点场所,以活跃经济。另外,组织小学生于星期天到学校所在地附

近街巷挨家挨户宣传放足，宣传者都佩戴印制的“誓不与缠足女子结婚”的臂章。当时我正在小学就读，曾佩此臂章宣传放足。星期天下午在省长公署（今兰州城关区张掖路警备司令部）进思堂免费为市民放映无声电影，晚间为市民举办夜校，教读识字，宣传戒烟、戒赌、放足等，而且免费发送石印小册子《烟赌害》、《劝民歌》，也有时教唱《劝民歌》，歌词如下：

我爹娘生我养我吃尽苦和辛，
为人不知行孝道，怎么能算人？
要知爹娘苦和辛，第一要保身；
安分守己务正业，努力报娘亲恩。

一时街巷夜间，歌声不绝于耳。今天七十岁以上的兰州人，还可忆及。

蔡畅在庆阳倡导妇女放足

萧 君

妇女革命领袖蔡畅(1900—1990)，湖南湘乡人。1936年随二、四方面军来甘肃庆阳。当时庆阳属中国共产党领导下的陕甘宁边区在甘肃的革命根据地，政治上、军事上虽为陇东重镇，但在教育文化上仍比较落后，城乡妇女仍缠小脚，称之为“三寸金莲”。封建社会对妇女的积习评价是：“尕脚载载，银子块块”、“大脚片子，男人远之”。妇女出嫁，首要条件是“小脚”，天足(大脚)姑娘是很难找到婆家的。

蔡畅到庆阳后，积极开展陇东革命根据地的妇运工作，组织妇女团结起来，办夜校，学文化，投入抗日救亡运动。并提出妇女必须解放自己，关键在于解除妇女身体上的枷锁——缠足。首先她号召在校女学生放足，并组织女校学生成立“剪脚布”小组，对在校缠足的女学生，劝其剪掉“裹脚布”放足。但有些学生白天在校放了足，回家后又被其母给缠上了，还得挨一顿打骂。蔡畅便亲自登门给这些女生的父母讲清道理，使家长们满意地接受了她的劝导，主动对其生女放足。甘肃陇东妇女早放足，且对革命做出贡献，蔡畅之功实不可没。

慕寿祺挽冯致祥

邓　明

三十年代，甘肃省高等法院院长冯致祥病逝，镇原学者慕寿祺挽以两联。其一曰：“且居大树下；莫叹长铗归。”上联语涉双关，既实指冯寓居兰州仓门巷，门前有一株数围的大榆树，又赞颂冯有东汉大树将军冯异的谦让精神。下联反其意用冯驩弹铗赋归之典，称许冯致祥心甘情愿服务于兰州。

其二曰："是大树名家，久客金城，秉案不阿三尺法；近中秋佳节，忽离尘海，桂庭犹剩几枝芳。"冯致祥，字和轩，湖南人，民初宦游兰州，供职司法界。为人正派，待人谦和，娴熟法典，办案公正，刚直不阿，颇得时许。甘肃学院院长邓春膏聘其为法律系兼职教授。冯卒后，其子女落籍兰州，故下联有"桂庭犹剩几枝芳"之语。

邓隆与西夏文

张思温

邓隆(1884—1938)字德舆，甘肃临夏市人。清光绪三十年甲辰(1904)进士。任四川新都、南充等县知县，署理顺庆府知府。宣统三年(1911)丁忧回里，定居兰州。入民国，兴办实业，创办光明火柴公司等。历任甘肃省议会议员，金融、自治、盐务等机关主管。最后任甘肃省夏河县县长。抗日战争初期，以甘肃省佛教会会长身份，每天赴华林山慰问抗战伤病兵员，并为筹划医药治疗，以致染病不起，于 1938 年 1 月卒于兰州，年五十四岁。

邓氏博学，能诗文。精研佛学，尤习密宗。晓藏文，曾译《密宗四上师传》(宗喀巴、嘉木样、章嘉、土观)。著作甚多，殁后散佚。有的为藏书家赵世暹(字教甫)购去。虽经屡次收集，终难得见全豹。

邓氏与吾父为金兰交,常以道义相切磋。于我为丈人行。1930年,我在甘肃造币厂任文牍员,时邓主持该厂工作,曾为代操笔札。虽谊属通家,竟不知其曾治西夏文,有著作也。1981年,我在银川市参加西夏学术讨论会时,见到北京一位同志编辑的西夏文献目录,其中有邓隆著作数种,藏于北京图书馆。遂函请该馆黄润华同志代商出价复制一份寄来。果邓之手笔也。计有《西夏译妙法莲华经考释补》(系为校正补充薛福成原著而作)、《书西夏文大方广佛华严经后》、《书武威县感通塔碑后》等文章三篇,都是1926年所作。惜当时未能出版,竟无人知之。卷中有"浚仪"二字阳文小圆章,知即赵世暹购藏之物。近代甘肃治西夏文者,当推邓为第一人。

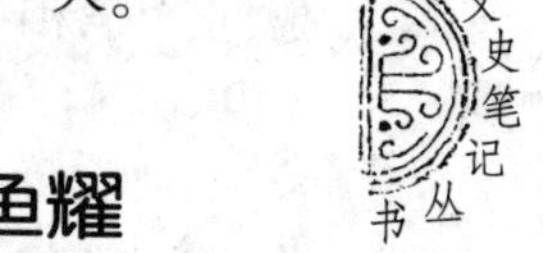

甘肃的"闯王"卢鱼耀

张尚瀛

卢鱼耀,甘肃省靖远县乌兰乡人。幼时家贫,其父以塾师供其兄弟四人读书,鱼耀于1925年国民军入甘后投笔从戎,至抗战中为三十八师张自忠部一一二旅连长。1937年卢沟桥事变后,鱼耀为二二四团一连连长。该连在死守卢沟桥前沿阵地的一次战斗中,敌以数倍之众,包围了该连前线的一排守军,情势危急。卢得讯,立率连部人员增援，手持大刀，身先士卒，冒枪林弹雨，冲锋陷阵。时有一日军中队长，亦手持战刀迎战，鱼耀如斩瓜切菜，将凶敌腰斩两截，获其战刀。这柄战刀上有日皇裕仁亲笔题词，全国解放后，交靖远有关部门收藏。在卢之声援冲杀中，日寇顷刻溃退。但一排机枪一挺为敌夺去。卢复与弹药兵周云山，追上溃敌，用大刀将夺去机枪之敌军砍倒，在取机枪中，溃敌以枪还击，弹中卢一眼，但鱼耀仍乘胜追击到底，获得全胜而还。

卢伤愈后，一眼失明，换以假眼，继续与敌作战，前后负伤七处。最后一次，弹穿盆骨被送后方医院治疗，张自忠将军亲来医院多次看望慰问，并含泪握着他的手说："老弟!你多次负伤，真勇敢啊！鱼耀，不愧是中华民族的英雄儿女……"。并对同来的参谋长说；"让他好好养伤，等他伤愈，给'闯王'一个团长缺，把他安排在我身边，好共同杀敌。"参谋长不解其意地问："闯王是谁?" 张将军指着病床上的卢说："这不就是甘肃的'闯王'吗! ……"

由于卢伤势过重，后被转送到甘肃临洮后方医院治疗，1945 年抗战胜利后，他被安置回故乡靖远，全县各界特为他召开了欢迎大会，万人空巷，争睹"闯王"风采。他虽一目失明，仍虎虎有生气。其事迹当时全国各大报纸均有报道，并刊其作战照片。

六十年代，卢病逝于靖远。

董福祥厚恩恕仇

师 纶

董福祥(1839—1908),世居毛居井,其地原属固原,现隶甘肃环县。董福祥幼年读书无成,喜习拳棒。及长,身体魁梧健壮,性格倜傥任侠。因愤于清朝官府欺压黎民百姓,于同治元年(1862)聚义反清,被安化(今庆阳)把总王蔼臣捕获。王以其为土匪欲置之于死,关押站笼中,百般折磨,并命人将一壶开水从董的头顶浇下,董受酷刑,虽奄奄一息,仍坚强不屈。狱卒心有不忍,谎报董已死去,王令弃尸于荒郊。一善心妇人将董救回家中,给以饭食,因无医药,即以土法将池泥涂敷伤处，幸得痊愈。董反清之志更坚，聚十数万饥民东向入陕北就食，与陕西反清回民相呼应。同治六年(1867)清将刘松山先将董父俘获，福祥被胁迫降清，部众被收编。此后随左宗棠镇压起事回民，在收复与戍守新疆中屡建军功，升至总兵、提督，并奉调京畿统领武卫后军。

董发迹后，对于昔日恩人报答甚厚，将救命之老妇人接至军营，待以太夫人之礼，专备一顶八抬大轿供其乘坐。

董在喀什噶尔提督任内，一次赴京途经泾州(今泾川县)，地方官出迎，其千总正是昔日安化把总王蔼臣，时已垂垂老矣。董认出之后说："你那壶开水真厉害！"王连连叩头请罪。董却安慰王说："多亏你那壶开水，我董某才有今日。你不必怕，好好当你的千总吧！"对前怨尽释。

一桩未了的公案

石　寅

黄文中(1890—1946)，字中天，甘肃临洮人。他思维敏捷，说话幽默，喜欢诗词，擅长书法，人称才子。我在兰州中学读书时，他给我班教国文课。有次，他让我们自己命题写诗。我凑了一首，前两句现在忘了，记得后两句是"燕子双双编故事，呢喃相送复相迎”。他看了，问我是哪里人。我说“康乐八松”，他听后，兴奋不已，说“你的家乡我去过，太美了！”过了两天，他写了一首咏我家乡的诗给我，至今我还记得：“昔日荒庄半建营，而今寸土且深耕。青山环绕夹溪谷，绿树参差带雾横。夜夜村中无犬吠，家家院内有书声。春来莫溢桃花水，易辨仙源却有情。”

黄先生在青年时代，曾留学日本，翻译了《日本民权发达史》，回国出版前，曾请孙中山先生指点。中山先生看后，亲笔题了“世界潮流，浩浩荡荡，顺之则昌，逆之则亡”相赠。黄高兴极了，就把原件寄出版社，让缩印后刊于书首。书出版后，不知怎么搞的，这个题字却到了胡适手里。从此他就为此与胡适相争。那时以胡适的鼎鼎大名他终莫可奈何。后来他在病危时，我们去看他，他还给我们讲述了此事。

李世军过西安

王克江

1924年12月4日，孙中山北上到天津。时年二十三岁的李世军，作为北京市“欢迎代表团”团员，随团长李大钊到天津谒见孙中山先生。先生以李世军为甘肃人，且年青敏干，勖勉有加，指派为临时宣传委员，前赴甘肃宣传其

《北上宣言》。

李世军于12月21日接受了证书，即赶回北京，整装西行。他到达西安后，为试探当地官员对中山先生之态度，故意在旅店登记簿上写明身份。陕西督办刘镇华，对有身份的过境行客，一贯严密注视。当晚查店士兵，在号簿上看到“孙中山代表”字样，便对李仔细盘问：“你真是孙文的代表?”李世军立即针锋相对地问，“你真是刘镇华的士兵?”士兵只好悻悻而去。未久两个军官来店问道：“李代表可有证书，督办想约见你。”李世军愤然答道：“证书有，因赶路无暇去见督办。”一时相向无言，形成僵局。最后两个军官自找台阶，叮嘱店主说：“等我们明天送行，再让客人起程。”第二天清早，两个军官果来送行，态度和蔼地说，“李代表，二次过西安，督办欢迎你来叙谈。” 李世军说：“烦君寄语刘督办，应该竭诚拥护孙中山先生及其亲手缔造的中华民国。不久孙先生会派代表专和督办交谈的。”说罢起程西行。

宣侠父的一张照片

空　谷

中共早期党员宣侠父于1938年7月被国民党特务暗杀后，人们想找他的一张相片都不可得。五十年代初,黄正清却拿出了他的一张全身照,使人民得见烈士英姿。这是怎么回事呢?

民国初年,宁海镇守使、军阀马麒派兵进驻拉卜楞,对该地藏族同胞强行征税和大肆屠杀。五世嘉木样活佛(四川理塘人,黄正清的弟弟)于1920年到拉卜楞寺坐床时,事前曾以马麒撤军为条件。但马麒不履行诺言,且变本加厉地加重征税,进一步干涉寺内事务,激起了藏族僧俗人民的反抗。马麒继续进行武装镇压和疯狂屠杀,迫使五世嘉木样离寺,避难于他处。黄正清于1925年秋天率九人代表团到省城兰州告状,辗转呼号,不得要领,侥幸遇见了时任冯玉祥国民联军宣传处长的宣侠父。宣侠父听了黄正清的申诉之后,即积极支持被欺压的藏族同胞,给黄等讲解民族平等的主张,鼓励他们坚持斗争到底,教他们学习汉文汉语,还深入到拉卜楞草原上进行调查,帮助成立"甘青藏民大同盟",还给黄正清起草了"甘边藏民泣诉国人书",到处印发,造成了反对马麒暴行的声势。1927年,在中共党组织的具体帮助下,问题终于得到了解决,成立了拉卜楞设治局,直隶于甘肃省政府,马麒军队撤走,五世嘉木样得以返寺并恢复了原有一切权益。黄正清则成为拉卜楞少将保安司令。

由于宣侠父的热心帮助和引导,黄正清把他当作良师益友,给他起了个藏名"扎西才让"(吉祥如意的意思),对他一直怀念不忘。黄正清于1949年毅然率部起义,和宣侠父的这段引导

也是分不开的。宣侠父曾在兰州五泉山照过一张像,相片上有亲笔题跋,赠给了黄正清。黄正清视为珍宝,甘冒风险,秘密珍藏。中华人民共和国成立后,他把这件事告知了中共甘肃省委书记张德生,张鼓励他将这张照片翻印了许多张,使社会上得以瞻仰宣侠父真容。后来,黄正清又与在北京工作的宣侠父之女宣平取得了联系,便把这张珍贵的原照交给宣平保存。

黄正清,现为全国政协常务委员、甘肃省政协副主席,虽然已九十岁高龄,仍然身体健康,精神饱满。

杨巨川在敦煌

言 微

杨巨川1923年任敦煌县长。敦煌干燥少雨,赖引党河水灌溉,良田无多。旧有水渠十余条,年久失修,条规紊乱,纠纷甚多。杨到任后首重水利,亲莅田间,奔走察看,调纷解难,重修规约,督饬整修,虽祁寒盛暑亦不惮劳。对胜迹千佛洞亦颇费心力,时因保护不力,盗窃刮取壁画者有之,潜行挖掘地下埋藏者亦有之,遂出示严禁,有犯必惩。并常亲临查看,严令管理人员尽职尽责,切实保护。古物破坏之风始得制止。次年,甘肃督军兼省长陆洪涛借筹军饷之名,开放烟禁，地方军阀乘机聚敛，全省骚然。杨几度上书，力陈此为祸国殃民之举，断不可为。讵意非但无效，且给敦煌摊派烟款巨万，道署派员坐催甚急，县署不堪扰，小民不堪命。杨既拒之乏力，又不甘于同流合污，毅然辞职返兰。途经布隆吉尔(今安西县境)，题诗于店壁云："只重金钱不爱民，黑心符出影留真。水云荡煞莺花界，误尽苍生是此人。"

杨巨川(1873—1954)，字楫舟，甘肃榆中县人，清光绪甲辰科(1904)二甲进士。解放后，为甘肃省文史研究馆首任馆长。学识广博，诗文俱佳。著有《青城记》、《梦游四吟》、《天文汇志》、《游学东瀛日记》、《三通概论》、《诗学萃言》、《琴学汇钞》、《窥豹录(杂记)》等。惜除前三种外，余均佚。

天水进士哈锐

袁第锐

哈锐，字蜕庵，甘肃天水人。清光绪壬辰科(1892)进士，朝考后选翰林院庶吉士，光绪三十一年(1905)任四川壁山知县，宣统二年(1910)调署宜宾，旋转任乐山。辛亥革命后解职东下，至重庆，阻于战火，滞渝三十六年。

时蜀中名宿荣县赵熙尧先生工诗擅书法，

书赠蜕庵诗云:"红杏花香五凤楼，廿年分手下瀛洲。梦华遗事东京录,帝子秋风北渚愁。老去无家如弃妇，贫来多难聚渝州。乡心莫动仇池穴,我亦江湖未泊舟。""梦华遗事东京录",乃怀念同在翰林院旧事。"帝子秋风北渚愁",盖伤光绪之被幽于瀛台也。"老去无家",谓哈之买舟而未能东下。"贫来多难",乃尧老兼怨己之不能西旋故里。"仇池",在甘肃西和县,以喻哈之思乡也。哈诗亦工。还天水后,办火柴厂等实业,浸成一邑巨绅。历任之天水县令，往往以为聚敛对象。某次,有县令勒款,列哈为富家第一。弗给,以诗答云:"一生不饮盗泉水,薄有廉名在蜀中?薏苡明珠凭众口,祇今夷蹠将勿同。"所谓薄有廉名,盖是事实,蜀中父老,尚能言之。其薏苡明珠之愤,非无故也。

忆同窗吴晗

何之硕

> 蔓香何如孺木(谈迁)勤,西庄(王鸣盛)榷史管成坟。
>
> 不堪回首淞滨路,文海惊涛撼夕曛。

此余题吴晗《史论稿》之作。吴晗原名春晗,浙江义乌人，曾与余同学于吴淞中国公学大学部。吴在校时,生活艰苦朴素,笃志潜修,治《明史》致力尤勤。时校长泾县胡适之，雅重吴之为人，特垂青睐。吴厥后教学从政，颇多建树。吴在"文化大革命"时惨遭迫害，于 1969 年 10 月 11 日含冤逝世。夫人袁震亦遭株连冤死。吴晗之死为我国史学界一大损失，时论惜之。

吴有妹名浦月，亦能文，其同里之负笈淞滨者，尚有何家槐、王相秦诸同学，当时朝夕过从，有时各踞钟楼一角，苦读至深夜，余有诗纪之。

高金城巧辱韩起功

刘爱国

著名爱国民主人士高金城先生，一生刚正，不畏强暴，为民族解放事业献出了宝贵生命。

他在张掖开办"福音堂医院"期间，对马步芳部驻张掖师长韩起功残酷杀害西路军被俘将士恨之入骨。1937 年深秋的一天，韩起功牙痛，请高金城医治。高金城看了韩起功的口腔，便说道："韩师长牙痛，是吃生(人)肉太多。"骂得韩起功哑口无言，半晌说不出话来，最后只好说："高院长你真爱开玩笑。"

韩起功的司令部原是清代末期的提督府，老乡们都叫"大衙门"。司令部门上挂着一块金匾，上书"民为贵"三个大字。医完病后，韩起功送高金城出门，高金城又说："韩师长，我看这块

匾可以摘下来。"韩起功觉得莫名其妙,忙问:"是不是字写错了?"高金城说:"你看看,现在张掖到处啼饥号寒,哀鸿遍野,而做官的呢,穿的是狐皮大衣,吃的是羊羔美酒,这到底是民为贵,还是官为贵呢?"说得韩起功张口结舌,无言以对。

刘汝璠奇遇免祸

甄载明

刘汝璠在抗日战争期间任贸易委员会驻西北办事处主任。该办事处设在兰州新关(今秦安路)。1939年冬,刘拟返四川探亲,并便中述职。适有甘肃省银行经理翁奇斌者,亦有急务欲赴渝,但当时由甘肃飞渝之飞机,系欧亚航空公司经营,航班既少,且时常误班,购票十分困难。刘已购妥机票,翁购票不得,乃请刘将票转让,刘碍于情面让与。讵料此次飞机从兰州拱星墩机场起飞后,飞行未及四十华里即坠毁,机上三十余人,全部遇难。1945年予遇刘汝璠于西安,自言"命大",已将"死票"买到手,竟有人代替,岂非奇遇!刘汝璠,天水人,美国哥伦比亚大学经济学硕士。后赴台湾,为终身立法委员,闻1990年逝世,年近九十云。

陈嘉庚笔下的昔日兰州

春　浦

爱国华侨领袖陈嘉庚于抗战中在南洋组织“南洋华侨回国视察慰问团”(即“南洋华侨筹赈祖国难民总会”)，于1940年5月14日率团抵兰，对抗日战士及其家属和难民进行慰问。之后，陈嘉庚在其《南侨回忆录》中，对当时兰州有简要的记述：

“商业不甚发达，街面店屋多旧时平房。最使人不满意者，即是市内各街路，既无铺石板，亦无普通石块，不过泥路而已。稍有阴雨则泞污难行，加以牛、马、驼及汽车往返，污泥厚满尺，汽车胎轮须加环缚铁链乃可开行，否则驾驶多不如意，易发生危险。余初到时，窃疑兰州乏石，致各街路如此难堪，及往市外过黄河桥，则石块、石子、石蛋满山都有。”

对甘肃人民生活，他写道：

“沿途所见乡村住宅甚简陋，村民衣服破碎不堪入目，余不能形容其破烂，亦不能详言其坏状。古语云‘悬鹑百结’，以余度之，无可结得下手处。男女童孩多露下体，贫苦之极，真令余心酸无已！”

陈嘉庚先生所述情景对今日兰州中、青、少年来说，无异“天方夜谈”。故录以备考。

首先提出“工合”的人

汉国萃

关于抗日战争时期在中国后方和游击区兴起的工业合作运动，有关文字大多记载为路易·艾黎和斯诺、宋庆龄等所发起。

其实不然，据斯诺夫人海伦·斯诺在所写《历史的回顾》一文中记述：“创办工合，最初是我的主意。”这个说法，早为路易·艾黎和埃德加·斯诺的著述所证实。在埃德加·斯诺为海伦所著《中国向高度民主发展》一书所写的前言中说：“工业合作社……首先是尼姆·威尔斯(海伦)脑力劳动的产物。”至于路易·艾黎，他在晚年出版的自传中更详细记载了此事的经过。他说：“有一天，我们又一次谈论这个题目(促进工业支援抗战)时，佩格·斯诺(即海伦)突然说：‘你看，路易，中国当前需要到处都有工业。中国必须有工业，要广泛发展工业，就得搞一个工业运动。

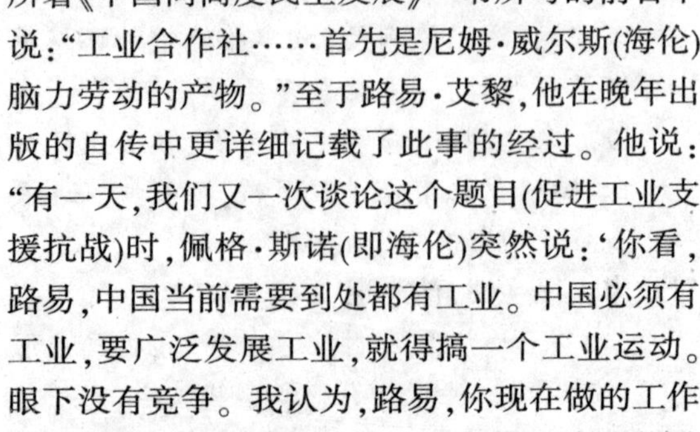

眼下没有竞争。我认为，路易，你现在做的工作(指工部局工业检查员) 使上海成为日本人能进一步剥削的好地方，你说你喜欢中国，那你就应该丢掉这个工作，出来做些当前有用的事，中国

人生来是会合作的。’”当时艾黎表示要依照这个设想重新改写在内地发展工业的材料，并迅速印发给了各方面有代表性的人物，促成了工合的诞生。

马步青看戏

李德文

1931年至1942年5月，陆军骑兵第五军驻守武威。军长马步青爱看戏。1933年马把秦腔“化俗社”从兰州搬去，还从西安请来许多名角，在武威办起了“民乐社”，把人称“活周瑜”的沈和中从兰州请去任民乐社社长，在武威西街修起武威第一座火力发电厂。

马步青每到民乐社看戏，便在剧场门口架起两挺机关枪戒严，观众只准进不准出。马步青高兴看到啥时候，观众也得陪到啥时候。每次看戏，马步青都由手下军法处、参谋处等八大处的处长们陪同。马步青看高兴了，处长们就赶快掏腰包给演员发赏。

马步青还喜欢看所谓“双生双旦”的戏。这个“双生双旦”的含义和通常说的一本戏里有双生双旦的角色行当不同。比如他喜欢看的典型剧目《断桥》是这样表演的：

两个白娘子同时上场，一个从上场口“搜

门”,另一个从下场口“搜门”。接着两青儿也同时上场。然后两个白娘子、两个青儿分两组各占半个台面同时走圆场。接下来第一组青儿白:“前面不远就是宁王府”,起慢板由第一组白娘子唱。唱完后,第二组青儿道白,重起慢板,第二组白娘子唱同一段唱词。如此类推,两个许仙当然也是同时上场的,并同唱二六板;“行来在西湖岸断桥亭畔,见娘子和青儿打坐一旁……”往下同时各演各的,直到演完。实际上就是一出戏的两组演员同时登台表演。

每年四月,马步青还要把民乐社搬到骑五军驻地新城内唱半月左右的戏,戏台下的操场上扎下许多帐篷,供看戏人休息喝水。平时不准闲人出入新城,这时不仅允许老百姓随便出入看戏,还可到处参观,甚至去看马步青的办公室。马步青称此举为“军民同乐”。

张厅长赴会被阻

袁　炜

张心一先生,素不修边幅。他于1940年至1947年任甘肃省建设厅厅长时,常常是上身着一件翻毛皮夹克,下身穿一条布制服裤,头戴一顶鸭舌帽,骑一辆旧自行车。当时建设厅即在省政府内办公,张心一常从箭道巷旁门出入。门岗都熟悉他的穿戴,也知道他是厅长。1945 年 10 月 10 日,为庆祝抗日战争胜利,省政府举行盛大舞会招待中外来宾。张心一特地换上笔挺的西装,高高兴兴地偕同夫人张全平(黄炎培之女)前来参加,不料门岗却不认得他了,挡着不让他进去。他的夫人为他解围说:“这是你们的厅长呀!”门岗仔细一看,不禁笑了起来,这才让他们夫妇二人进门。

张心一,我国著名的农学家,生于 1897 年,甘肃临夏(现积石山保安族东乡族撒拉族自治县)人。二十年代初毕业于清华,复留学美国,先后获衣阿华州立大学畜牧专业学士学位及康乃尔大学农业经济学硕士学位。回国后将毕生精力奉献给祖国、家乡的建设事业。

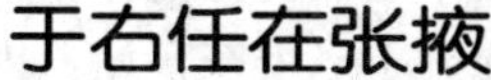

于右任在张掖

张伯壬

1941 年 9 月, 国民党元老于右任先生因公来到张掖。我因系于老姨甥,得以随先父张幼庵陪侍左右。历历往事,至今记忆犹新。

1941 年 9 月下旬,于右任到张掖,随行仅甘宁青监察使高一涵及秘书数人,下榻陕西会馆。时于老已年逾花甲,银髯飘胸,精神健旺,身着蓝布长袍,足登布底棉鞋,学者风度,平易近人。

当地驻军曾派来警卫，被于老辞退。并告左右说：“我驻会馆就是要和民众见面，要警卫何用？”

斯时河西为青海马步芳势力范围，其所部一〇〇师师长韩起功据张掖，肆行无忌，民不聊生，于老早有所闻。在于老巡视市容时，行至南关，有数名回族老人跪于街心，头顶讼纸，拦路告状，控诉韩起功罪行，声泪俱下。于老急忙下车亲手扶起，收下状纸，亲切安慰，并答允予以查处。

韩起功闻知后，以请于老鉴定古物为名，送来从黑水国遗址中掘出的瓷罐两口，内实砂金，罩以红布，意欲贿请，于老见状怒形于色，严辞拒绝。返回不久，韩起功即被调回青海赋闲，为张掖人民除一大害。

于老书法早已饮誉海内，张掖各界慕名求字者络绎不绝。于老下车伊始，即不顾旅途劳顿，欣然命笔；求者日多，复移案庭院，书之不停，有时直至子夜，秋风送寒，仍无倦容。一时张掖为之纸贵。于老关心文化教育事业，曾为张掖中学题写一校匾，词曰“张掖中学”。又驱车沙井驿黑水国遗址考察，留下“沙草迷离黑水边，何王建国史无传”诗句。

张大千尊师范振绪

尚 瑛

国画大师张大千和甘肃范振绪(进士)素有深交,因大千受业于范之同年曾石农,故大千对范常以师尊之,称为"禹丈"。有人不详其情,以为对范似有过誉之疑。

其实,其事甚确:1941年张大千由渝来兰,去河西拜访时在武威讲学的范振绪。张大千提出去敦煌莫高窟考察设想,范慨然赞同,并与同往,协助大千在甘肃敦煌莫高窟、安西榆林窟考察、编号、临摩,历时数月。张大千于此前后,听范振绪亲述幼承庭训故事,绘《青灯课子图》长诗卷(现藏甘肃省博物馆)并题赠对联多副,除其上均题"禹丈教正"外,并有范老用于书画作品上之小白蜡石印章两方,此为名篆刻家吴公石所刻,其边款云"丙午冬日吴公石为禹勤先生制"、"吴公石小鈢时客陇上"。同年12月张大千在武威范寓见此两印章,征得范老同意,磨去残刻,另为刻之,其一为阴文"范振绪"三字,边款镌"大千居士";另一方刻白文"禹勤"二字,边款镌"禹丈教正辛巳十二月爰"。印成后致范书云:"命治印呈上,乞诲正。复恳假花青、赭石、朱锭,今日须为子云先生作一幅也。禹丈晨安,张爰百

拜。”又，余亲见张大千为范老所书：“稍闻吉语占农事，欲遣吟人对好山”对联，上款题“禹勤仁丈诲正”，下款署“辛巳四月张爰”。据此，足证张大千对范振绪以师尊之，非妄也。

蒋介石参拜天水伏羲庙

黄 英

传说伏羲氏出生在甘肃天水地区。天水市西关有座修建于明代的伏羲庙，殿宇宏伟，环境清幽，古槐巨柏，浓荫蔽天，香火不绝。

1944年夏天，蒋介石由白崇禧等人陪同，飞赴天水，视察由其兼任校长的马跑泉骑兵军官学校。上午，蒋介石身穿草黄色马裤呢军装，戴大沿军帽和雪白手套，兴致勃勃地在“马跑泉碑”前拍照留影，进行视察检阅活动。午休后，准备去李广墓参观。

不巧，昨夜大雨，去石马坪李广墓的土路泥泞不堪，汽车无法通行，而负责接待的官员，谁也不敢说路没有修好。遂由骑校教官舒国华婉言陈词，劝蒋介石去拜谒伏羲庙。舒国华，天水人，毕业于黄埔军校十期骑兵科，曾在蒋介石身边任“卫兵司令”，深知蒋的脾气。他说：“校长！您还是去看看伏羲庙吧！那是天水著名的古迹，伏羲是中国人民的祖先，尊为人皇，历代帝王来天水，没有不去朝拜的。李广不过是汉代一位将军，这里的李广墓还仅仅是他的衣冠冢……”。

蒋介石一听，去伏羲庙更符合领袖身份，连声说好，于是带领随员，驱车从马跑泉进城。快到城边时，天水警备司令赶来报告：已下令全城戒严。蒋介石大发脾气：“我来天水，是要和老百姓见见面的，宣布戒严，还见什么人呢?”警备司令赶快取消了戒严令。

来到伏羲庙，蒋介石先登太极殿，向伏羲泥塑彩绘像脱帽三鞠躬，然后注目殿内顶棚上所绘的六十四卦和殿前古柏，边看边问，颇为满意。之后，特拨款五千元用以维修庙宇。

游毕伏羲庙出来，烈日西斜，街道两旁挤满了围观的百姓。蒋介石兴高采烈，站在庙门正中高台阶上，举起戴着雪白手套的双手频频挥动，十分得意，缓步走下台阶，继续向观众挥手，然后登车而去。

伏羲庙前为何突然来了众多百姓？原来警备司令因宣布戒严受了训斥，学了点聪明，便派人四出吆喝群众前来。

李约瑟在甘肃

汉国萃

1943 年，英国研究中国科学发明史的专家李约瑟曾来到甘肃讲学、考察。李抵兰后，在兰下榻培黎学校。笔者适在该校协助工作，有幸结识了他。

李约瑟博士(Dr.Joseph Needham)系当年应玉门油矿之邀前来甘肃讲学和考察的。8月7日由他夫人和助手廖鸿英、黄宗兴陪同，乘汽车由重庆出发，途经成都、广元、汉中、双石铺进入甘肃。曾在徽县、天水、秦安、通渭、华家岭等地停留。后因汽车抛锚，遂改乘便车抵兰。在兰时与培黎学校师生同吃同住。并参观访问了兰州的学校、工厂、科教馆、医疗卫生单位，同时游览了名胜古迹，乘坐了羊皮筏子，会见了著名学者袁翰青教授等。还应邀在国立西北师范学院和甘肃科学教育馆讲演和作学术报告。他将一批从战时英国带来的工具、器械、仪器赠送给培黎学校。

李约瑟在双石铺培黎学校的窑洞里结识了路易·艾黎，艾黎陪同他们一道访问河西走廊。途中艾黎为李约瑟讲述中国的遗闻轶事。后来，李约瑟为艾黎所著《有办法》一书所作的序言中，对此曾有记述。

9月18日，艾黎陪同李约瑟在甘肃山丹勘察和研讨了双石铺培黎学校迁址的可能性，由此导致了次年培黎学校的迁校。在玉门，考察了油矿，并作学术报告。在敦煌，观赏了历代的艺术瑰宝和文物。李约瑟对此行，曾写有专文发表于著名的《自然》杂志。从河西返兰后，恰逢他的四十三岁诞辰，兰州工合事务所负责人张官廉夫妇为他举办了中国式的生日晚会，使他感到温馨、愉快。同年12月14日，他乘机返渝。

这次的甘肃之行，给李约瑟留下了难以磨灭的印象。李约瑟夫妇在此后出版的《科学展望》(Science Outpost)一书中，详细记载了甘肃之行的所见所闻和观感。这对他后半生转移学术方向，全力以赴著述《中国科学技术史》产生了一定影响。

张大千珍爱红嘴鸦

黄　英

1943年8月，张大千携妻带子，在敦煌面壁二载完成临摹任务后，归蜀时途经天水，在去麦积山石窟游览时，忽于山坡丛林间看到一群红嘴鸦，飞旋起落，甚为惊异。先生遍游名山大川，广闻博识，但对羽黑如漆、嘴红似丹、体态轻盈的陇南珍禽红嘴鸦，却从未见过。忙吩咐停步，手撩灰布长袍，跳下滑竿，驻足观赏。时逢山雨欲来，烟云飘卷，先生站在天水奇景“麦积烟雨”之中，对自己这一新的发现乐不可支，掀髯大笑。

离开天水时，张大千特雇人捕捉红嘴鸦十余只，分装两笼，带回四川，于青城山开笼放去。

青城山，为蜀中著名旅游胜地，向有“青城天下幽”之誉，据说至今尚有大千先生放养的甘肃天水红嘴鸦繁衍栖息。

焦菊隐在兰州

韩卫之

在抗日战争中，位于甘肃兰州十里店的国立西北师范学院，聚集着一批名流学者，有院长李蒸、中文系黎锦熙、外语系于赓虞、体育系董守义等。著名戏剧家焦菊隐于 1944 年冬经于赓虞推荐，自重庆来兰执教。于为“五四”时期浪漫派著名诗人，获有“恶魔诗人”称誉。他早年负笈法国，与焦有同窗之谊，情感甚笃。于赓虞认为焦菊隐学底深厚，做学问执著、认真，是难得的艺术专家，斯坦尼斯拉夫斯基体系的研究权威。我忝为新闻界之一员，与焦颇多交往，获悉不少剧坛轶事，并得以亲自感受到他对事业的无限忠贞与淡泊处世的胸怀。

焦菊隐说：“追求使我沉着，淡泊自守给我以生机和作为。”诚哉斯言。焦菊隐蜚声剧坛早矣！他在重庆执导的话剧另辟蹊径，为观众所倾服。至兰州后则一反常态，稀涉尘世，避居罕出。即使旧友邀其出马，亦被婉拒。他说：“人随心志，不再浪漫了。”但他对戏剧艺术仍迷之至深，悟之又彻，而且表之尤切，因之专心讲学当为题中之义，无庸苛求。

抗战胜利后，劳燕纷飞，焦已远行。我之所以唠叨这些，无他。记忆可以抹掉，而历史却不能遗忘。

蒋经国在兰州

韩卫之

抗日战争期间，“开发大西北”之呼声甚高。不少专家、学者前来考察，就是国民党的党政要员亦多有巡视问津者。

1944 年夏，蒋经国偕夫人蒋方良及子女抵兰。次日，兰州市市长蔡孟坚于励志社(今兰州市通渭路市政协院内)宴请蒋氏夫妇，为其洗尘。蒋着中山装，风尘仆仆；夫人穿俄服，仪表自若；两个孩子仪态拘谨。参加宴席者均为兰州新闻界之首要，笔者亦有幸被邀出席。席间蒋经国谈笑风生，旁若无人。有人问：“先生莅临西北，意欲何为？”蒋并未理会。又有人追踪：“国民政府大弹开发大西北高调，但只闻楼梯响，不见人下来。阁下伉俪访兰，是否意味着全家将迁此，做开路先锋？”蒋转向夫人莞尔，少顷回答：“她听不懂，也不会说中国话，等她听懂、学会了，会答复你的。”“先生如此尊重夫人，请问是中国传统

抑属俄国风俗?”“那么,蒋先生一言一行须从夫人、唯夫人之命是听了。”蒋瞠目以对,悻悻然无言作答。蔡孟坚只好见机生智为之解围:“蒋先生旅途困顿,得先吃饱肚子后再答各位提问。”

世易时移,余对此一情景仍印象很深,遂记之如上。

魏建功悼许寿裳诗

师 纶

当代著名语言文字学家魏建功(1901—1980),在抗日战争胜利后,应聘赴台北,任台湾省“国语推行委员会”主任委员,与时在台任教的许寿裳过从甚密。他们都对当局的倒行逆施深为不满,因而遭忌。1948年,许寿裳竟被国民党暗杀。魏建功悲愤至极,挥笔写诗云:

人间无义剑,海上哭先生。
御寇疑非窃,祖龙竟敢坑。
声容如宛在,德业有难赓。
雪涕苍茫里,寻明抉眦瞠。

盖许寿裳被害后,当局诡称有盗入室,许因抗拒被害,故颔联揭穿此谎言,且直斥当轴为秦始皇焚书坑儒也。结句用伍子胥“抉吾眼悬吴东门之上,以观越寇之入吴也”的典故,表示誓死寻求光明的决心。

魏建功的“寻明”真的付诸行动!北平解放前夕,正当国民党当局强迫、蒙骗北平学者、教授南下之际,他毅然携全家回到北平,用他当时对全家的说法是“坐等解放”。

解放后,魏建功执教北京大学,先后兼任中文系主任、副校长等职,并对语言文学的研究和普通话的推广不遗余力。直到他最后时刻,还扶病参加《辞源》稿件的审定工作。

此为魏先生之女魏乃所提供,谨简记如上。

李约瑟丝路施药

汉国萃

李约瑟的甘肃之行还有一段佳话。他并非医生,也并不深谙医理,但他却一路施药,治愈了许多患者,竟然获得了“医生的声誉”。

原来,当时磺胺类药物发明不久,在中国,不但市场上买不到,就是公私立医院也未开始使用,但他作为生物学家,从生产厂家得到了这种新产品。他在此行中随身携带,一路对所遇到的各种患者施行治疗,指导服用,大都获得了良好的治疗效果。在敦煌千佛洞等十分缺医少药的地方,更出了名。他记述说:“我们在千佛洞住得愈久,我们做医生的声誉便传播得越广。”在那里,他不但治愈了画家吴作人由脚气引起的

感染，而且给蒙古族牧民和喇嘛治愈了眼炎和其他肿疼。甚至为一个十八岁的小兵治疗伤寒。在兰州，他也把这种药留给了培黎学校中的患者。李约瑟对患者的热心施治，体现了国际友谊和人道主义精神，堪称当代丝绸之路的友谊之花。

张治中轶事

王贤琳

我和张素我是好朋友，时常到她家去，因而常见她的父亲张治中将军。一次当我谈到工合兰州培黎学校生活困难，靠勤工俭学维持，教职员待遇比一般学校低等等时，引起了张将军的关注，他当即表示要去看看。当时他是西北军政长官公署的长官，政务繁忙。我原以为他不会来的，不料一个星期天的上午，由他的佳婿周嘉彬军长陪同，到兰州黄河北穆柯寨培校。我的丈夫张官廉和我陪他们参观了教室、供实习用的机械房、打铁间、翻砂间、化学实验室、栽绒房、纺织房等处。他说："想不到你们学校虽然不大，设备还很齐全呢!"当时因系星期日，在校的学生不多，一看来了两位将军，很是兴奋，他们总跟着客人前呼后拥地不离开。张长官向孩子们说："你们能在这样一个学校中生活、学文化、学技术是很幸福的,应该好好学技术,将来作一个有用的人,为国家作贡献。"孩子们听了深受感动,大家热烈鼓掌,表示敬意,气氛十分欢乐。此事虽隔多年,但我仍记忆犹新。

叶丁易

李鼎文

丁易名叶鼎彝,安徽桐城人。1941 年秋任国立西北师范学院国文系讲师。在来兰路过平凉时,去游了柳湖,写了一首七绝:

万柳双堤绕女墙,一湾流水带斜阳。
秋光如此诗情好,不见风流宋荔裳。

宋琬,字玉叔,号荔裳,山东莱阳人。清顺治初进士,由户部郎中出巡巩秦阶道,驻秦州(今甘肃天水市)。他是当时的著名诗人,与安徽宣城人施闰章齐名,有"南施北宋"之称。丁易初到甘肃,游览胜地,缅怀前贤,兴致勃勃,诗里流露了对甘肃的热爱。

1942 年秋, 丁易先生在讲中国现代文学史课程时,分析了鲁迅《狂人日记》、《药》、《明天》三篇作品。在讲到《狂人日记》中的"狮子似的凶心,兔子的怯弱,狐狸的狡猾,……"那一段时,举日本帝国主义者为例。一开始野心很大,想一口吞掉中国;在遭到中国人民的奋起抗击之后,

又表现出了色厉内荏;但人民一定要提防,不可麻痹,因为它一定要玩弄阴谋诡计的。丁易先生思想进步,在分析作品的时候,深刻、细致、生动,引人入胜。在当时全院最大的教室第七教室里,本系和外系的同学总是坐得满满的。在甘肃的大学里,他是第一个系统讲授鲁迅作品的教师,开创了新风气。那年,他刚满三十岁。

在讲授历代散文选课程时,经常强调目录学的重要性,并介绍范希曾的《书目答问补正》,让我们阅读,还有《四库全书总目提要》,让我们即类求书,因书究学,免得摸不着门径。还注意讲授基础知识,如"四大注",即裴注《三国》、刘注《世说》、郦注《水经》、李注《文选》。

有一次我去丁易先生家求教,谈到《历史语言研究集刊》,我喜欢那些考证文字,以为这就是现代中国史学代表作。丁易先生微笑着说;"史料还不能说是史学。"这个道理现在大家都知道,但在那时对我这个孤陋寡闻的后生小子来说,却成了新知识。

一天,我读张介侯的《养素堂诗集》,在《忆海藏寺》诗中有"境寂界超心湛冥,木犀香来悟宗旨"两句,不知出处。后来翻《焦氏类林》,其中有一则说:"黄龙寺晦堂老子尝问山谷以'吾无隐乎尔'之义,山谷诠释再三,晦堂不答。时暑退凉生,秋香满院,晦堂因问曰:'闻木犀香乎?'山谷曰:'闻。'晦堂曰:'吾无隐乎尔。'山谷乃服。"我以为找到了出处,但这一则却没有注明录自何书。我向丁易先生请教，也不知录自何书。一年以后，丁易先生已到四川，在国立戏剧专科学校教书，一次给牛维鼎、管家骅几位同学的来信中提到我曾问过的问题，说是偶阅丁传靖辑的《宋人轶事汇编》，其中有闻木犀香一则，出自宋释晓莹《罗湖野录》。我看信以后，很受感动。先生关心青年，严肃认真的精神，于此可见一斑。

1943年夏，丁易先生离兰赴蜀，临行前写了一首七律，诗云：

南北东西笑孔丘，枣花香里买归舟。
牌楼今已看三易，蜗角何期竟两秋。
狂态自知难偶俗，豪情犹复哂封侯。
书成廿卷千毫秃，纵使名山也白头。

首句是说自己像孔丘一样到处漂泊。《礼记·檀弓上》："孔子既得合葬于防，曰：'吾闻之，古也墓而不坟，今丘也东西南北之人也，不可以弗识也。'于是封之，崇四尺。"第二句指临行时，十里店一带枣花盛开，奇香溢野。第三句是说，学校原名北平师范大学，1937年抗日战争发生，北平师范大学和北平大学等校迁西安，组成西安临时大学，1938年迁陕西城固，改名西北联合大学师范学院，1939年又改名西北师范学院，校名改了三次。随着学校的改名，1941年西迁到兰州。第四句是说，自己从1941年秋到校，到1943年夏离校，居然呆了两个年头。《庄子·则阳》："有国于蜗之左角者，曰触氏；有国于蜗之右角者，曰蛮氏。时相与争地而战，伏尸数万，逐北旬

有五日而后反。”把当时学校里的丑恶现象，比作蜗角上蛮触之争，这是很辛辣的讽刺。第七句指自己写的著作如《中国文字形变迁考释》等。第八句指那时已有白发数茎。诗里充满了愤慨不平，和两年前来兰的心情大不相同了。

“千古文章未竟才！”丁易先生于1953年10月到苏联莫斯科大学讲学，1954年6月27日因病逝于莫斯科，年仅四十二岁。

邓宝珊与梅兰芳

袁 炜

邓宝珊将军生前以儒将风度交游极广。他和京剧名演员梅兰芳、程砚秋均有交往，尤其与梅先生的交情很深。

1949年初，北京和平解放后，梅兰芳去看望住在北平的将军。左邻右舍的人们闻讯后，不约而同地聚集在邓宅周围，等着一睹梅先生的风采。待邓将军送梅先生出门时，看见那么多的人要看梅先生，便笑着说：“你不妨慢慢上车，让大家都看看你梅先生的风度。”更有趣的是，大概在此前，邓将军有一次去一所学校参观一个展览会，适逢梅先生参观之后刚刚离去。这所学校的学员们听说梅先生来了，纷纷跑出来想见见梅先生，此时正遇到邓将军来到展厅。一位年轻的姑娘拉着邓将军的衣角问:“你就是梅兰芳先生吗?”身材魁梧的邓将军,把手往脸上一抹说:“你看我像不像梅兰芳?”当大家弄清他就是为和平解放北平作出贡献的邓宝珊将军时,都说:“能看见邓将军太幸运了!”

忆黎锦熙

李鼎文

黎锦熙,字劭西,湖南湘潭人。1942年任兰州国立西北师范学院教务主任、国文系主任、国文科主任,工作很忙,但还是亲自讲授“读书指导”和“音韵学”课程。

黎先生一生致力于汉字改革工作。他常称道钱玄同先生说过的两句话:“考古务求其真,致用务求其适。”汉字改革,就属于致用一方面。镇原慕少堂(寿祺)先生曾给黎先生赠诗一首,中有“注音童叟知”之句。黎先生给人写条幅时,字旁都要注音,他说:“我写的字母,不但是字体集成,而且是书中有画。像这个ㄍ,就用写甲骨文的笔法;这个ㄊ,就用写隶书的笔法;这个草书的ㄌ,就是画兰草。”(注:黎先生所书注音字母,ㄍ即g,ㄊ即t,ㄌ即l)

黎先生主张现代的人作诗,不管是新体还是旧体,都应该用现代语音来押韵。有一次谈到

清末有个高心夔，在会试和朝考两次考试中都因作的诗押“十三元”的韵出了韵，被置四等。王闿运作了一首诗来嘲笑他，中有句云：“平生双四等，该死十三元。”黎先生在抗日战争期间，曾把《平水韵》一百零六部合并成十八部，编了一部《中华新韵》，为写诗的人提供了一种有用的工具书。

在“文革”十年动乱中，先生并未消沉。1974年夏天，我当时患双眼玻璃体浑浊，心情很坏，曾给先生写了一封信。先生寄来一份《八十岁后工作总汇报和展望》的油印本，并对我训勉了一番。先生写道：“盼健康恢复后，工作上少用目力。‘语言’一科，本属‘口耳之学’，其‘物质外壳’，就是声音，以‘目治’者乃其符号(文字)。过去古今考订，方国对应，大都与‘耳治’之实际脱离。以致千年以来，漫无定论；八亿民众，尚难统一。目疾虽属病恙，利用有方，‘坏事变成好事’，可预料也。”当时先生已臻八十五岁的高龄，用圆珠笔写字已不大方便，但他还没有忘掉我这个多年不见的学生，从万里之外表示关怀，使我深受教育。先生的教育家形象，将永远留在我心中。

“五同”与“六同”

赵世英

近代陇上诗人、书画名家范振绪与著名的民主革命战士沈钧儒二人,同庚同生辰,同中光绪二十九年(1903)癸卯科进士,同赴日本留学,同攻政法专业,同时参加孙中山先生领导的同盟会。世人雅称之为“五同”,传为佳话。

1956年,时任中华人民共和国最高人民法院院长的沈钧儒来兰州视察工作。甘肃省省长邓宝珊将军在慈爱园为沈老设宴洗尘,特邀时任政协甘肃省委员会副主席的范振绪先生作陪。席间说到“五同”时,邓省长说:“二位进士公还有一同呢。”众宾相顾,均心领神会而笑。原来二位同为长髯银须、矮公。从此“五同”便成“六同”了。

麦积诗境

匡 扶

甘肃天水之麦积山,又名麦积崖。据记载,石窟是从十六国后秦时期开始创建的,后经历代不断开凿、修整,遂成为我国著名的大型石窟群之一。因其古迹珍奇,风景幽美,来游诗人,多留有诗作。

较早见于记载的是唐杜甫的《山寺》,杜甫于唐肃宗乾元二年(759)秋至秦州(今甘肃天水市),与侄佐和赞上人等往返栖宿之地,皆在麦积山附近。原诗云:"野寺残僧少,山圆细路高。麝香眠石竹,鹦鹉啄金桃。乱水通人过,悬崖置屋牢。上方重阁晚，百里见秋毫。”全诗虽仅四十字，但麦积山的轮廓已隐约可见。

五代时的秦州人王仁裕，著有《西江集》，在其任秦州节度判官时，有《题麦积山天堂》诗：“蹑尽悬空万仞梯，等闲身共白云齐。檐前下视群山小，堂上平分落日低。绝顶路危人少到，古岩松健鹤频栖。天边为要留名姓，拂石殷勤身自题。”

北宋时秦州知州李时中的《麦积山》七绝诗云：“路入青松翠霭间，夕阳倒影下溪湾。此中猿鹤休相笑，谢傅东归自有山。”

明人冯维讷在所著《光禄集》中，亦有《游麦积山》诗五律四首，兹选录二首，似可补杜、王、李作之不足。诗云，“山川雄且都，法界盛规模。陇蜀屯灵气，乾坤辟壮图。天垂云幄近，月照相轮孤。想象昙花现，西来启觉途。”“鹫岭横西极，祇园复在兹。孤标拔地起，万象入云危。月殿金枝秀，霜林锦树披。经过未辞数，猿鹤久相期。”

以上所录诗作，聊以提供有关麦积山历史资料的佐证，并可稍增益游观之所未及。

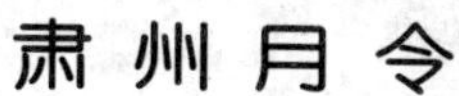

赵燕翼

《月令》，为我国古代“物候学”。最早见于

《礼记》及《吕氏春秋》十二纪中。其与农业生产和有关时令的参考至关重要。然中国疆域辽阔，各地气候差别甚大，按古月令势难尽符，故有人另拟《广南月令》，以标志本地区时序特点。此类撰述，甘肃亦有之。如清乾隆《肃州志》，即载有《肃州月令》，内容可概括河西三地区（酒泉、武威、张掖）气象物候。全文云：

孟春之月，东风不吹，羊乳羔，太簇不应律，驼始交（配）。仲春之月，水泉动，草萌，苦荬（苣菜）芽，冰泮（解冻），地气上升，土软。季春之月，鸟遍野，杏始华，韭生，山雪融。孟夏之月，元鸟来宾，苁蓉茁，坝水盛流，角雀鸣。仲夏之月，沙枣华，雷偶发声，蝌蚪化为蛙。季夏之月，柽（柳）有红花，大豌豆熟，雉（野鸡）雏。孟秋之月，蜻蛉（蟋蟀）吟，稞乃登，荐蜜瓜。仲秋之月，蓟萎，沙枣实，霜零。季秋之月，溉冬水，杞实，黄羊满膘。孟冬之月，大雪时降，冰坚，草木剥，闭塞而成冬。仲冬之月，朔风凛冽，明霜昼降，锁阳固其苞。季冬之月，地冻且坼，山雪纯白，鸟集于城。

文内“太簇”又称“大簇”，为十二音律中的第三律。古人烧芦杆芯膜（葭莩）成灰，装入律管置于密室中，以代替检验气候仪器，凡某一节候来临，则相应律管中葭灰即飞出。故《礼记·月令》有云：“孟春之月，律中大簇”，今已至初春而第三律管葭灰未动，足征肃州气候较内地为冷。“蜜瓜”为各类甜瓜统称。河西地区日照长、温差大，最宜种瓜，故安西古称瓜州。瓜熟先献祭神灵祖先，谓之“荐”。“霜零”是说，才到中秋，已有霜降，草木开始凋零。“黄羊”为生息于河西荒漠草原上的野羊，秋末体壮，肉最肥美，现被列为国家三类保护动物，禁止捕猎。“明霜”为一种细小冰花。河西冬天，常见冷日当空，而明霜飘飘自天降落，蔚为奇观。“锁阳”是产于河西地区的野生植物，其红色肉质根形如萝卜，含丰富淀粉，可供食用，亦属补益药物。冬季锁阳肉根坚实成熟(固其苞)，正宜采收。

《肃州月令》作者，对本土自然物候变化，作了深入观察研究，故能以精炼生动笔墨，描绘出一幅绚丽多彩的“北国四季风物图”，既具科学实用价值，复有艺术欣赏价值，堪称科普文章中的一篇佳作。

谭嗣同兰州留语

田企川

戊戌六君子之一的谭嗣同，由于父亲谭继洵出任甘肃布政使，于清光绪四年(1878)至光绪十五年(1889)曾五到甘肃。他在兰州，随父住在甘肃布政使署。这里有一后花园，曾名“望

园”、“若己有园”，经他父亲于光绪八年(1882)重修后，题名“憩园”。园内有亭、台、楼、榭、假山、池苑，花木甚多，郁郁葱葱，尤以牡丹惹人注目。林亭之胜，堪绝一时。谭嗣同很喜欢于读书之暇在园内观赏景致，并常撰联语，遍贴园中。据他自己回忆，贴于“四照亭”的联语是：“人响镜中，被一片花光围住；霜华秋后，看四山岚翠飞来。”贴于“天香亭”的是：“鸠妇雨添三月翠；鼠姑风裹一亭香。”贴于“佳夕楼”的是：“夕阳山色横危槛；夜雨河声上小楼。”他面对憩园之景，也常写诗抒怀，现在看到的，有他的一首七绝《甘肃布政使署憩园秋日》：“小楼人影倚高空，目尽疏林夕照中。为问西风竟何著，轻轻吹上雁来红。”

六盘山对联之谜

戴笠人

六盘山有副对联：

峰高华岳三千丈；
险据秦关百二重。

此联对仗工稳，气势磅礴，称得上是名胜对联的上品。然而，对联的作者是谁，又悬挂在六盘山的何处，却鲜为人知。为了解开这个谜，笔者经过考证，在宁夏回族自治区固原县志编纂委员会资料室里终于找到答案。

对联作者，是清代甘肃隆德县知县潘龄皋(河北安新人)。光绪元年(1875),潘龄皋在六盘山修建一座牌楼,并撰写这副对联。可惜牌楼早在1913年废弃。因此近年出版的对联专著中均未收录此联。1984年吉林人民出版社出版王存信、王仁清编著的《中国名胜古迹对联选注》一书中收录了,但却将它误为萧关城楼对联。萧关位于宁夏回族自治区固原县蒿店地区，距六盘山尚有四十余里,相距远矣。《选注》中亦未注明对联的作者,只以“佚名”作了交代,今特证之。

神庙巧对

甄载明

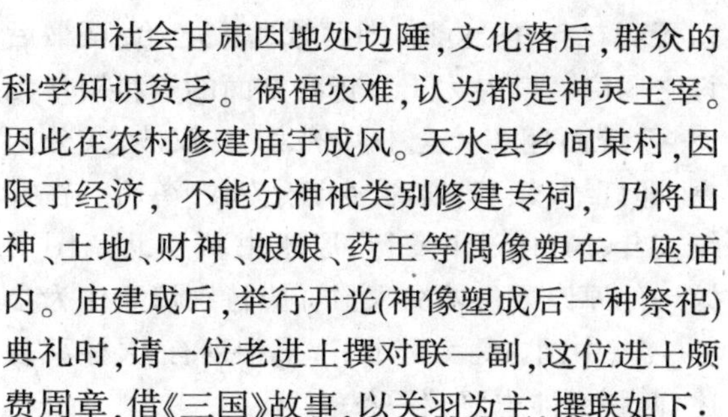

旧社会甘肃因地处边陲,文化落后,群众的科学知识贫乏。祸福灾难,认为都是神灵主宰。因此在农村修建庙宇成风。天水县乡间某村,因限于经济，不能分神祇类别修建专祠，乃将山神、土地、财神、娘娘、药王等偶像塑在一座庙内。庙建成后,举行开光(神像塑成后一种祭祀)典礼时,请一位老进士撰对联一副,这位进士颇费周章,借《三国》故事,以关羽为主,撰联如下：

刮骨疗疾,理应与先生并座；

秉烛达旦,何妨陪神母同居。

文虽极妙，但亦谑矣。

爱国的文史学者吴栜棻

王九菊

吴栜棻(1865—1937)字斗垣，甘谷县人。考取渭南秀才后，在山西巡抚岑春煊幕下入伍从军。时正值八国联军侵入北京，他与湖南提督刘光才扼守固关，密计伏埋地雷击败了侵略军。以其作战得力，晋升为县丞，后又擢升为直隶知州。以治理绥远垦务案被株连褫职，遣戍新疆。辛亥革命成功，斗垣复归官辽沈一带，在嫩江、林甸、漠河各县任知县。

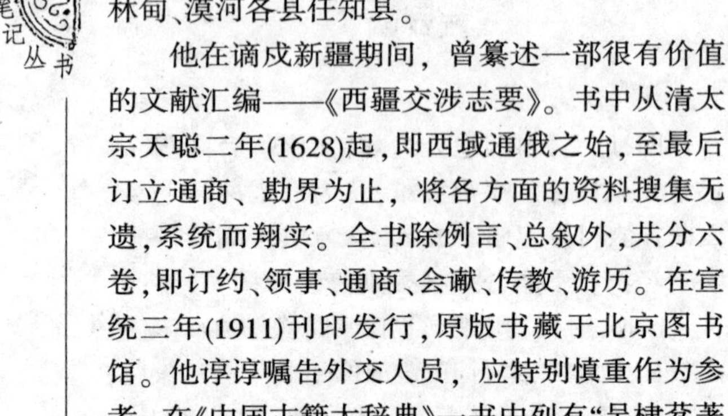

他在谪戍新疆期间，曾纂述一部很有价值的文献汇编——《西疆交涉志要》。书中从清太宗天聪二年(1628)起，即西域通俄之始，至最后订立通商、勘界为止，将各方面的资料搜集无遗，系统而翔实。全书除例言、总叙外，共分六卷，即订约、领事、通商、会谳、传教、游历。在宣统三年(1911)刊印发行，原版书藏于北京图书馆。他谆谆嘱告外交人员，应特别慎重作为参考。在《中国古籍大辞典》一书中列有“吴栜棻著述《西疆交涉志要》”一条。

吴斗垣晚年在家乡兴办学校，不惜变卖私产筹建，未完工即病故，享年七十二岁。其子葆华(已故)承父业，即建立吴氏家祠学校，以祭田十九亩作为教师津贴，至今已有四十余年，培养了很多有用的人才。

左宗棠书联

刘爱国

清光绪五年(1879)年关，陕甘总督左宗棠在收复新疆凯旋兰州时，路过抚彝厅(今甘肃临泽)平彝堡(现板桥乡友好村)，特地看望其部将陈善勇之兄陈善亨。陈善勇，字德仁，幼年就读于蓼泉书院，接受文化启蒙，目睹西方列强瓜分中国，便立志投笔从戎，报效国家，在肃州(今甘肃酒泉市)参加左宗棠清军入疆，在多次战役中英勇善战，以军功从士卒升为管带。在战役中被洋枪击中头部，壮烈殉国，时年三十余岁。左宗棠得知陈善勇殉国的经历，万分悲痛，亲自起草嘉奖令，通报表彰。左在回兰途中，来其家乡看望其兄陈善亨。时陈善亨在家开设私塾，教习乡邻子女。为昭示陈善勇的忠义、勇猛，左宗棠亲笔书联一副："一抔荒土苍梧泪；百尺高楼碧血碑。"横额"功在千秋"。陈善亨将对联镌刻在石碑上，供奉于族庙的文昌宫内。

此碑一直保存到清宣统年间，后因山洪暴

发，冲毁了文昌宫，碑从此不知去向，但该村有人保存着完整的对联拓片。

李叔坚二三事

李鼎文

先父叔坚（于锴）在青年时代喜为考证、词章。遗稿中的《式训小记》，就是他的考据文字。词章方面，有骈文、古文和古近体诗。骈文中如《尹夫人台碑》是一篇有关考古之作。先祖云章（铭汉）先生曾考定武威城西北五里的皇娘娘台就是北凉沮渠蒙逊在灭西凉后，拘留西凉李暠的妻子尹氏的场所——尹夫人台。唐代诗人岑参曾有《登凉州尹台寺》诗、《尹夫人台碑》中说："停云在望，重披岑参之诗；高台未倾，莫误窦融之迹。"对尹夫人台作了正名的工作。古文中如《全谢山传》，是一篇自述学术师承之作，较为重要。1943年汪辟疆先生在读过《味檗斋遗稿》后，曾给我来信，说"知累世服膺亭林、谢山之学"，说得很中肯。古近体诗有一百多首，先父去世后，先兄酝班辑为《写经楼诗草》，现收入《李于锴遗稿辑存》，1987年由兰州大学出版社出版。

蔡金台，字燕生，江西德化（今九江）人，清光绪十二年丙戌（1886）进士。任甘肃学政时，曾于

光绪十八年(1892)到达武威。先父往见,晤谈甚欢。事后蔡先生有诗记此事。诗云,“十二万年余此日,五千道路一流连。馆人莫报槐阴午,座有凉州李叔坚。”

光绪二十一年(1895),先父在北京,参加了“公车上书”运动。他和甘肃在京会试举人六十一人在康有为起草的请废《中日马关条约》的请愿书上签名,并联合甘肃举人七十六人,领衔起草《请废马关条约呈文》,准备送到都察院去,以条约已批准,乃罢。

先父于光绪二十一年(1895)乙未成进士,入翰林。二十四年戊戌(1898)散馆,出任山东蓬莱县知县。当时秦州刘子嘉(永亨)先生曾集唐人诗句为联语,并手书相赠。联语云:“先生有才过屈宋;谪居犹得住蓬莱。”上句见杜甫《醉时歌》,下句见元稹《以州宅夸于乐天》。先父曾两次任蓬莱知县。第二次至蓬莱,正值清政府废科举,兴学校,先父创办了蓬莱学堂。在山东沂州府知府任内,投资银二万余两,开采凤凰蛋老屯的煤矿,用煤矿所得的利息,兴办学校等事业。

民国二年(1913),袁世凯任命先父为甘肃省警察厅长,先父坚辞不就。他晚年深恶袁世凯的为人,后来听到袁世凯称帝,更为愤慨。我家有一小园,颇具花木之胜。花厅三间,前有翠柏四株,浓荫蔽日,先父常坐在树下休息。某一天,内侄刘贻我先生侍坐,先父随便读了韩愈《庭楸》诗中六句:“朝日出其东,我常坐西偏。夕日在其西,我常坐东边。当昼日在上,我在中央间。”当时刘先生听了,以为不过是流连光景的话,没有加以注意,后来回家翻阅《韩昌黎集》,找到了《庭楸》诗,才发现这六句之后,还有十句,十句之后,是这样的两句:“客来尚不见,肯到权门前?”这才恍然大悟,先父是在借韩诗以言志。

天水周子扬(希武)于民国三年(1914)任甘肃省立第四中学(武威)校长。他曾两次写信,求见先父。先父回信,说自己闭门谢客已经两年,这个例子不好开,希望能够谅解。周先生又写了第三封信,说是如果再不见,就要在门前长跪,使他人难以援例。先父接到信后,没有来得及看,就立即接见。后来常来质疑问难,并借阅阎若璩《潜丘札记》等书。先父卒于民国十二年五月初十日(1923 年 6 月 23 日),距生于清同治元年十二月二十六日(1863 年 2 月 13 日),享年六十二岁。

李于锴赠安维峻诗

袁第锐

安维峻(1854—1925),字晓峰,甘肃秦安人,清光绪六年(1880)庚辰科进士,由翰林院庶吉士授编修,旋任都察院福建道监察御史。安秉性耿直,富爱国思想。1894 年 12 月,上疏请诛“卖国强臣”李鸿章，以平众怒。疏中直言：“皇太后(指慈禧)既归政皇上(指光绪)矣，若犹遇事牵制，将何以上对祖宗，下对天下臣民？”光绪帝恐开离间之端，将维峻革职，发往军台“效力”。临行，人以其直言获谴，争相慰藉。甘肃武威李叔坚(于锴)以诗赠之。诗云：“已拚一死报君亲，旧牍重看泪转新。训政由来尊圣母，狂言何意有孤臣。风霜曲赐全生路，冰雪仍留百炼身。回首长安应不隔，蓬莱佳气霭钩陈。”“羽书昨夜达甘泉，横海撑船望渺然。杜牧罪言难再继，公超雾市至今传。感时每下袁安泪，报国谁先祖逖鞭！为想居庸关外月，可能仍似帝京圆？”诗对安评价颇高。惟“训政由来尊圣母”云云，实系反训，读者不可不察也。安在戍所，闻《中日马关条约》议成，犹在致于锴书中深致愤慨。其爱国之情可感也。惜其回京以后，思想日趋保守，为其晚节之玷。1910年，任职京师大学堂(北京大学前身)时，极力反对新学，世人诟之。其《次韵酬清子荫孝廉见赠》诗云：“一纸空闻学泰西，问谁怀抱古人齐？与君且理名山业，黄鹄何堪混鹜鸡！”可见其晚年思想之一斑矣。李于锴(1863—1923)字治成，一字叔坚，甘肃武威人，清光绪壬午(1882)举人，曾参加康梁“公车上书”，又尝领衔以甘肃举人名义上书请废《中日马关条约》。乙未科(1895)成进士，选翰林院庶吉士。官至山东沂州府知府。辛亥革命后返里。有《味檗斋遗稿》等，著述颇丰，近代

陇上之学人也。

何鸿吉轶事

王秉钧

何鸿吉，字揆一，甘肃省甘谷县人。清末秀才，民初就读北京京师学堂。聪慧过人，举凡文史科技，无不涉猎，尤精贝叶。晚年皈依佛门，宣讲佛理。书法精妙，求者踵接。

家设磨坊，以所学力学齿轮旋转为原理，设置机轴。马转一周，齿轮可转十余次，日可磨面粉石余。何在任甘谷中学校长时，我就读于该校。他每周除给我们授语文、自然课外，日以诵经礼佛为事。红颜鹤发，体健神足，不以俗务为念。醉心佛典，废寝忘食。

求写字的人很多，每当他一时高兴，大笔一挥，龙飞蛇走，就是数十张。学生们摸清了他的脾气，早把纸备好，一到这时，便围上去，将姓名呈上，他照写不误。

他从不与官府往来，时与当地崇佛大老谈禅论经。首创县佛教会于城隍庙僧舍，与该庙住持安和尚过从甚密。每逢佛会佛事，安和尚总请他宣讲经藏。省内外僧徒，尝闻风与会恭听。倡导于大象山开凿三圣殿石窟，亲撰匾额楹联，至今遗迹犹存。

怪贡生杨成绪

草　实

在甘肃凉州(今武威市),清末年间曾出了个怪贡生名叫杨成绪。杨成绪生性倔强孤傲,为文不遵循“八股”章法,因而屡试不第,直到四十五岁时才考中岁贡生。此后,他绝意科场,不求仕途,靠写字卖文为生。

有一年,凉州久旱不雨,官吏士绅不设法兴修水利抗御旱灾,却请来许多僧道,大摆祭坛祈雨。杨成绪见状,愤然提笔写了一副对联:“一坛上淫僧妖道,吹吹打打,打走了风云雷雨;两廊下贪官污吏,叩叩拜拜,拜出了日月星辰。”老百姓见了,交口相传,弄得官吏士绅们狼狈不堪。

又一次,凉州城北门外有位老铁匠过生日,儿孙们请了一些吹鼓手吹吹打打为老人祝寿,杨成绪得知之后，立即写了一副对联送上,联云:“若非往昔踢停咣当叮当脆，焉有今日唔不楞登咕嘟吹。”老铁匠一听就懂,激动地指着对联对儿孙们说:“我们手艺人,凭力气干活,凭手艺活人，要想吃上饭，就得叮叮当当响呀！”

杨增新题镇边楼诗

袁第锐

云南杨增新，清光绪己丑(1889)进士。初任甘肃河州知府及甘肃高等学堂提调。辛亥前夕，任新疆阿克苏道尹，旋擢新疆臬司，甘人金树仁等之入新，即其所引掖也。辛亥事起，杨佯为左袒革命，以计胁巡抚袁大化引退，己乃攫得督军之职。旋又易帜附袁，迫害同盟会人士，以固其位。其人阴狠残暴，入民国后，中原多事，无暇顾及西陲，因得遂其私欲，独霸新疆者十七年。每于督署镇边楼筵席中诛锄异己，使人悚悚不可终席。第杨虽枭雄，而无问鼎中原之志。惟对新疆则视为己之禁脔，不容他人染指。其题镇边楼诗云：“居夷已惯不知愁，北准南回一望收。却笑当年班定远，生还只为一身谋。”其踌躇满志之态，跃然纸上。诗中北准谓居北疆准噶尔盆地之蒙古族，南回谓居南疆之维吾尔族也。其尤妄者，乃以班超之“但愿生入玉门关”为可耻，以其所谓“居夷已惯不知愁”，而自鸣其称雄西域之得计！然其倒行逆施之结果，终于1928年7月7日为同盟会员樊耀南诛之于宴席之上，诚所谓“即以其人之道，还治其人之身”者。余于1984

年适乌鲁木齐，因得访镇边楼旧址，以诗和其原韵云；“西来凭吊镇边楼，阅尽沧桑历尽愁。地下独夫应有语，当年孟浪谑班侯。”诗固不佳，然可为班定远一鸣不平，兼为独夫之戒。因志之。

于右任、张群怀念胡景翼诗

胡希蕴

国民党元老于右任与张群先生都曾与先父胡景翼同事，而且都有深厚的友谊。张在1942年前后在河南省警察厅工作，于1949年去台湾，1990年12月病逝台北，享年一百零一岁。

六十年代中，于右任在张群处，见到先父所临摹“岳武穆书法长卷”时，曾四次题诗于其上。于右任题诗现摘录如下：

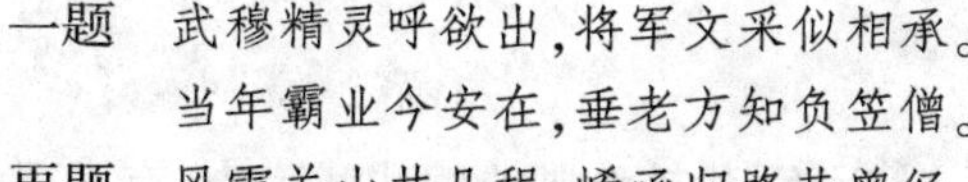

一题　武穆精灵呼欲出，将军文采似相承。
　　　当年霸业今安在，垂老方知负笠僧。

再题　风雪关山共几程，崤函归路昔曾经。
　　　张侯佳句吾能记，夜色微茫见火星。

三题　武穆遗书何处寻，重观跋尾一沉吟。
　　　伤心二十余年事，头白题诗泪满襟。

四题　遗恨难为告九泉，茫茫华下两坟园。
　　　摩挲上将新诗卷，洗涤神州旧泪痕。
　　　一代人才悲短命，几番风雨更招魂。
　　　夜深犹是汤阴道，老木风声叩庙门。

上诗刊登在香港出版的《春秋杂志》上。据说张群已将题诗的“岳武穆书法长卷”交给台湾博物馆保藏。

第一诗是说在1921年先父暂受直系改编时，于先生开初有分歧意见，不久取得一致。但事隔数十年，于右任还感到自负于笠僧(先父的字)。

第四诗中“茫茫华下两坟园”，是指华山下埋着胡将军和岳西峰(胡逝后，岳接胡职)两人的坟墓。

“摩挲上将”，是指先父在世时，身胖如佛。

“一代人才悲短命”，是说先父逝世时，年仅三十四岁。

陈炳奎赛题《菊花诗》

唐善宝

近年，我被约聘协编武威市志，有幸得见清代武威才子陈炳奎自选八百二十五首诗集。诗集辑为八卷，定名《古柏山房诗草》，卷首有作者自序，知编定于同治十二年(1873)。

《诗草》内收步《红楼梦·菊花诗》七律原韵十二首，暗含与曹雪芹比赛诗才之意，被当时武威诸多名士、诗友评谓：“置之原作，几可乱真！”兹摘录三首，以见一斑：

访菊

霜天载酒为花游，瘦蕾寒英何处留？
散步润沾双屐雨，寻芳香袅一篱秋。
人来旧圃清霜早，径对斜阳去路悠。
雅爱谁如陶靖节，醉归犹得插盈头。

画菊

吟余醉后发清狂，片纸铺来且度量。
握管润分三径露，传神寒抹几枝霜。
萧疏曾仿风雨态，冷淡常留笔墨香。
几幅烟云人读处，一声鸿雁又斜阳。

菊影

阶前屋角翠重重，一片机神暗淡中。
风满矮畦吹错落，日高荒径照玲珑。
香魂怅望灯前碎，幽梦应怜月下空。
掩映朱栏无限好，暗移斜度任朦胧。

陈炳奎，字莲樵，生于嘉庆十六年(1811)。自幼颖悟好学，才华横溢，但科场不顺，直到二十六岁，始考中秀才，后数次赴西安应乡试，皆名落孙山。

刘尔炘遗诗

杨国桢

刘尔炘(1865—1931)字晓岚,号果斋,甘肃皋兰人。清光绪十五年(1889)进士,授翰林院编修,数年后,辞职归里,主讲兰州五泉书院,故自号五泉山人。果斋先生攻诗词,善巧对,尤擅长书法,五泉山上题联,多为书撰。晚年作画,笔势遒劲,层峦叠嶂,挥洒自如。尤工远势,尺幅千里,但不多作。与我父(杨巨川)善,故以画幅相赠。尤妙者画幅皆自题句,清新俊逸,读之口角生香。先生诗集,早年已刊行出版,独此诗未得列入。兹特抄出,辑补遗缺。

六十年前一小儿,学书为画墨迷离。
白头自是还童日,依旧迷离学画师。
三十年前曾有句,此身不为看花来。
而今老去风流甚,点染群芳眼又开。
游戏人间鬓已凋,前尘如梦任烟消。
老来别悟开心法,笔有峰峦墨有潮。
壮心未已鬓毛催,枉向人间走一回。
剩有残年娱乐法,毫端风雨万山来。
一天风露泻毫端,写出琳琅竹数竿。
惟愿此君长报我,人间无处不平安。
莫向黄尘影里求,悬崖高处与天游。

真香飘入星辰内，酿个清闲好地球。

无名氏挽何戒僧对联

张尚瀛

何戒僧，甘肃武山人。原任国民军冯玉祥部营长，治军严明，曾撰一联："治军当如岳武穆；战斗须学张翼德。"悬于营门与士兵共勉。后冯出国考察，何为鲁大昌收编，驻防碧口。所到之处，除暴安良，深得民心。由于他思想进步，与中共地下党取得联系，策划起义。事泄，不幸于1933年5月间，遭诱捕杀害，年仅二十六岁。

戒僧遇害后，营葬时曾有人送挽联一副，文曰："大盗掌权，好人该死；娼妓得势，正义云亡。"上书"戒僧千古"，下署"无名氏挽"。

甘肃最早的进步妇女刊物

王九菊

1925年10月，受中共北方区执行委员会和李大钊的指派，中共党员宣侠父、贾宗周、邱纪民等，随国民军冯玉祥第二师刘郁芬部来兰，开展革命工作，发动兰州各中等学校的学生和教

师学习马列主义、三民主义等革命理论，并成立“青年社”引导青年走革命的道路。

为配合“青年社”的活动，又创办了《妇女之声》旬刊杂志。当时因限于经济条件，是油印刊出，在兰州邸家庄韩玉贞家印，宣传妇女解放的新思想。邓春兰女士也投过稿，她曾面告我：当时她是针对妇女自卑与依赖男子不肯大胆参加社会活动而写的。这在妇女运动史上，也是一面不朽的旗帜。但是，这个甘肃最早的妇女刊物，仅出刊三期即停刊了。所出的三期，也在后来的清党中全部烧毁了，至今一份也未保存下来。

相隔十年后，即 1937 年 12 月，由甘肃省妇女慰劳会创办的《妇女旬刊》，共出刊五期。这个进步的妇女刊物，曾为抗日救亡大声疾呼。

《工合先锋》和《工合社友》

汉国萃

工合运动初期，其领导人大多注意宣传。不但总会和区办事处都办有刊物，如《工业合作》、《西北工合》、《东南工合》等，而且事务所一级也大多办有刊物，如成都事务所的《活路》，兰州事务所的《工合社友》等。各地工合所办的刊物最多时曾达数十种之多。这里将笔者曾参与办的两个刊物简记如下：

《工合先锋》,为工合总会(全名:中国工业合作协会)和金陵大学合办的工合干部人员训练班所创办。该班初期设于成都陕西街华美女中内,后迁至汪家拐子三十五号,负责人为英籍合作专家戴乐仁(J.B.TayLor)。《工合先锋》共出五期,刊载过梁士纯(工合总会宣传处长)、戴乐仁、史迈士(金陵大学美籍教授)等人的论述。原件尚可见于南京图书馆。

《工合社友》为兰州工合事务所创办,半月刊,每期八开一张,铅印,主要供社员阅读,较为通俗。甘肃省图书馆曾保存数份。

张恨水吟甘肃荒旱

甘农

著名章回小说作家张恨水于1934年春,曾到西北旅游,途经甘肃陇东、兰州、河西,目睹当时甘肃荒旱,饿殍载道,而军阀割据,横征暴敛,给全省人民造成深重灾难时,便在其长篇小说《燕归来》的开头写有这样三首竹枝词:

(一)

一斗麦子两升麸,埋在墙根用土铺。
留得大兵来送礼,免他索款又拉夫。

(二)

大恩要谢左宗棠，种下垂柳绿两行。
剥下树皮和草煮，又充饭菜又充汤。

(三)

死聚生离怎两全，卖儿卖女岂徒然。
武威人市便宜甚，十岁娃娃十块钱。

第一首诗云，虽仅余二升麸，也须得留给大兵送礼，以求免被索款拉夫。第二首诗云，剥食“杨柳”树皮充饥，乃误。实为剥食“榆树”、“槐树”皮，非“柳树”皮。因柳树皮苦涩有毒，不能食用。第三首诗云，“十岁娃娃十块钱”事属真，系记当时“人价”。当时武威县私商暗设“人市”，灾民携儿拖女，投集“人市”出卖，目的为子女找条活路。但人贩子(俗称人牙子)从中盘剥，定价为“一岁一元(银元)”。外省缺子无妻者，竞相在“人市”以两三元买个两三岁的儿子；以十七八元买个十七八岁的大姑娘为妻。此情此景，虽时隔半个世纪，至今仍觉不寒而栗。

顾颉刚与边疆研究

汉国萃

顾颉刚先生早在抗日战争前，即在北平发起组织边疆研究会，致力于唤起国人重视边疆问题，揭露外敌觊觎之心，共谋民族团结御侮之道。抗战爆发后，边疆研究会停止活动。1941年春，顾先生在成都又发起组织"中国边疆学会"，以继续边疆研究会的事业。当时笔者经洪谨载介绍，亦列名学会发起人，并参加了学会的成立大会。

成立大会在华西大学举行，与会的各界人士共一百余人，由顾先生主持。会上通过了章程，并选出了理监事会组成人员。此后曾出版《边疆周刊》，作为发表和宣传边疆问题的专门刊物。

1948年，顾先生应兰州大学之邀来兰州讲学。我访问了他，并写过一篇访问记在《甘肃民国日报》发表。他又在兰州《和平日报》创办《西北边疆》副刊，由他题写刊头。这个副刊曾发表吴均的《青海省环海及河南北之藏族》、顾颉刚的《中国通史与边疆史料》、王树民的《边疆情形与古史古书的研究》、谷苞的《从一个村落看河西农村的崩溃》、振天的《玉树——康藏高原的

枢纽》、《拉卜楞之环境与牧畜》等论文。

顾先生不愧为边疆研究的热心人与先驱者。

高一涵咏羊皮筏子诗

袁第锐

高一涵，安徽六安人，抗日战争中任甘宁青监察使，工诗擅书，尤善状物。其咏兰州羊皮筏子诗云："船自方方囊自圆，小于舴艋疾于弦。日斜影散人归去，拾起轻舟负半肩。"颇脍炙人口。羊皮筏子为黄河上游特有的水上交通工具，制法以羊皮胎注入空气，并排固定木架而成。羊皮胎多以八张合为一筏，亦有用十张以上者。其牛皮制者则大于是。人在筏上能蹲而不能坐，浪花掠过，往往衣为之湿。黄河上游各地，多为短途运输之工具，亦有以筏装运货物至银川、包头一带者。春秋佳日，兰州士女，辄乘筏至雁滩等地小憩，虽波涛汹涌，而嬉戏如常，盖习之也。羊皮筏子至解放初期尚存，今已不见。高诗状之入神，洵佳制也。以其轻，故曰："拾起"，以其小，故曰"负半肩"，均恰到好处。又筏仅能用于顺流，逆行则不能。筏手虽亦持篙桨，不过用以拨转方向，非如船行之必利赖之也。当其急流而下，筏行若飞，"疾如弦"者殆非过誉。余有兰州竹枝词

云:“雁滩苹果马滩桃,往事魂消第几桥。裙屐翩翩来戏水,羊皮筏子木兰桡。”亦以纪实,而视高氏此作,则不逮远甚矣。

赵寿山书写“启众楼”

郭　铠

1944 年底，第三集团军司令赵寿山率部驻守武威,司令部设在西大街大衙门。他率领的部队与其他部队不同,守纪律,不扰民。

那时候武威西大街有一个公共体育场,是开大型纪念会、欢迎会的场所,场内有一个坐北向南的戏台。这戏台原是玉皇庙一座古戏台,台顶是霸王盔形式、明代建筑。三十年代被骑五军军长马步青拆迁到公共体育场。形式未变,仅把台基降低,以草泥代替原台顶的槽形瓦。赵寿山为该戏台亲自书写“启众楼”匾额挂在台顶,字迹苍劲峻拔,十分耀眼。“启众”二字,内涵很深。

赵寿山,陕西人,喜爱秦腔。1945 年,他支持名艺人王正端、靖正恭等在武威组成“西声社”,意思要唱出西部人民的声音。西声社就在公共体育场的戏台演出。上演的第一部剧目是历史剧《卧薪尝胆》。以越王勾践卧薪尝胆,十年生聚,十年教训,雪耻复国的故事,激发民众抗日到底的决心。此剧连续上演十数场,场场满座,

影响很大。1946 年，赵寿山调离武威，西声社也就解体了。

邓宝珊谈诗论文

马骒程

四十年代初期，我在重庆国立中央大学中文系上学。教授汪辟疆先生听说我是甘肃凉州人，乃垂询武威李云章父子的轶事，遂撰《与马生骒程谈李云章父子学说》一文，刊诸《中国文学月刊》。邓宝珊将军在西安曾见到上述文章。1943 年间，将军偕一女到重庆，派人召见我，大赞汪辟疆先生关心甘肃乡贤，并说："李氏学术深得顾亭林、黄黎洲之精义。坐言起行，经世致用，异乎清明理学。在我甘肃，明末有胡缵宗，能书善文，尤精版本目录之学。其刻印初唐欧阳询《艺文类聚》，乃当今海内善本。清代武威张澍著《养素堂文集》，刻《二西堂丛书》，实为嘉道间著名学者。"我久闻将军大名，惜未见其人。而此次初会，方知将军乃俨然一位博闻强志之学者，使我肃然起敬。

1948 年 3 月，邓将军抵南京，住豆菜桥招待所。我闻讯晋见，并面呈《呈邓宝珊将军》七律一首："河朔安危系一身，况兼忧国复忧民。岂知聚米量沙手，竟出轻裘缓带人。旧塞榆溪宏远略，新声开奏及芳晨。鲰生亦有澄清愿，盾鼻犹思效屈伸。”将军看了非常高兴，借此，大谈唐诗。他说：“我嗜诗，尤爱杜甫及王昌龄之作。少陵一生不忘国家和人民，‘感时花溅泪，恨别鸟惊心’。在国家危难的时候，他对着花鸟会心痛得流泪。‘剑外忽传收蓟北，初闻涕泪满衣裳。却看妻子愁何在，漫卷诗书喜欲狂。’一听大乱初定，他又会狂喜得流泪。在‘幼子饥已卒’的情况下，他想到的却是‘默思失业徒，因念远戍卒’，‘安得广厦千万间，大庇天下寒士俱欢颜’。这是多么伟大的爱国主义精神和人道主义精神啊！”

过了几天，幸有邓将军邀请本师汪辟疆先生与我到新街口茉莉饭店宴饮。应邀者还有孙蔚如、王新令等十余人。饭后，又特邀汪先生、孙将军和我到灵谷寺看牡丹。邓将军对汪先生赞扬甘肃乡贤，热心培养甘肃学生深表感激。

随后，我们就去看牡丹。邓将军说：“这个牡丹也不错，但它比不上兰州的牡丹，长得又高又大。请汪先生日后能到兰州游一趟，看看我家花园中的牡丹，确实很好。”汪师回头向我说：“在重庆时，我给过你一首诗，还记得吧。‘兰州花事异成都，闻道朱明(牡丹)粲万株。为语马(騄程)潘(慈光，成都人)留后约，过门有酒更相呼。’那我们以后就到兰州看看邓家花园的牡丹吧。”邓将军便说：“欢迎！欢迎！一定不要负约！”接着孙将军说：“今天看了牡丹，请汪先生咏一首诗吧。”汪师说：“我去年写了一首《咏灵谷寺牡丹》的

诗，不妨朗读出来，请诸位指正。'九年为客负花期，及我归来例有诗。欲写盛妆无好语，即论倾国亦相思。当风翠袖知难并，炫画夭桃尽失姿。便拟置身叨利界，樊川无奈鬓如丝。'"邓将军连声说："好！好！咏物述怀，言近意远。"不觉夕阳西下，遂乘车返城。

张质生忧国忧民诗

师 纶

张建(1878—1958)，字质生，号梅林，晚号退叟，甘肃临夏市人。自幼聪敏好学，一生吟咏不辍，存诗万余首，皆"自写性灵，畅达明豁"之作。诗中忧国忧民之忱，感人尤深。

1900年庚子之役，清廷战败乞和，丧权辱国。青年张质生挥笔斥之：

海氛东望挟潮来，破敌何人说壮哉？
一草一山关大局，诸王诸相尽庸才。
命运可用为官憾，力不能支下诏哀。
多少议和贤宰辅，何缘轻弃大沽台。

诗中不仅不满于战败议和，尤其为撤去海防而担忧，故"贤宰辅"乃是讥讽主和之李鸿章者流。

质生先生后入马福祥幕府，历任宁夏护军使署副官长、绥远都统署参谋长等职。因目睹军阀混战，政治窳败，愤然于1926年辞官归里。《问天》诗是此心情之表露：

问天兵气几时销？水火斯民久悴憔。
靡孑遗黎星落落，呼群班马日萧萧……
玄黄野战千家血，黑白棋纷半局枰。
我愧无能甘袖手，坐观壁上卜输赢。

先生返乡未久，即逢临夏地区战乱，先生目睹乡间横遭涂炭，忧心如焚，为诗纪实云：

……嗟嗟乱离人，累累丧家犬。
白骨堆如山，京观封土墠。
感此作悲歌，歌成涕泪潸。

1933年，日寇侵占东三省之后，又侵占热河。先生既斥责热中于内战之当局，又大声疾呼御敌之策：

榆关甫见敌纵横，又播余威到热城。
东北河山天险失，西南将帅地盘争。
同心抗战徒虚语，万户避灾震旧京。
衮衮诸公须注意，喜峰口上要添兵。

1945年抗战胜利后，先生欣喜之时，更有清醒之建议：

喜闻日本树降幡，兵气全销九夏函……
公理终能摧暴力，……从此鲸鲵尽伏潜。
除恶由来期务尽，免教一篑欠巍峨……

盖先生虽隐居于乡，对国事大局所见甚明。故于1949年8月临夏解放之际，与回族老人张乐山先生共倡各族人民欢迎中国人民解放军入城。且于杜门不出二十三年之后，又出山为社会主义

服务。历任甘肃省人民代表、甘肃省政协委员、临夏专员公署副专员、临夏回族自治州副州长等职。

黎锦熙迎新诗

袁第锐

黎锦熙先生治文字之学，为我国当代著名学者，曾将《平水韵》一百零六部合并成十八部，编为《中华新韵》问世。1939年，北平师范大学改名为西北师范学院，于1941年12月迁兰。时先生在该院主讲文学，曾为该校国文系同学会迎新壁报题七言绝句云：

年年岁岁事迎新，一气呵成大块文。

吸取黄河来笔底，似闻万马与千军。

按《平水韵》，则“新”为真韵，而“文、军”均为文韵，今并见一诗，且系出自大家，于是或有诧为先生用新韵者。其实不足为诧，此属首句借用邻韵，唐人亦然，宋人尤习用之。如杜牧之“清明时节雨纷纷，路上行人欲断魂，借问酒家何处有，牧童遥指杏花村”即其例也。

罗家伦《西北行吟》诗集

刘大有

罗家伦,字志希,浙江绍兴人。曾任国民政府考试院副院长、中央大学校长等职。1943年到陕、甘、宁、青、新西北五省考察交通,为时八个多月,行程三万六千里。将沿途见闻写诗二百余首以纪游,辑为《西北行吟》诗集行世。

该诗集反映了西北五省大部分名胜古迹,物产、经济、文化、交通、民族、民俗、人物等方面的内容。择录三首如下:

谒李广墓

龙城飞将声威壮,何必封侯算策勋。
留得几分遗憾事,千秋同感属将军。

重抵兰州见红叶缤纷最饶秋意

燕子矶边五月榴,那如红叶带霜稠。
若聚名城品秋色,八分浓艳在兰州。

游敦煌千佛洞

平沙浩淼绿阴开,七宝庄严入望来。
阅尽丹青千万本,盛唐真个出人材。

笔者所珍藏罗氏《西北行吟》诗集，开卷自序的落款是“民国三十三年一月十四日罗家伦书于天水”，最后封底版权页上还印有“西北公路工务局印刷室印于天水”的字样。由此可见，罗氏完成西北考察后，在天水停留期间整理了沿途所吟的诗作，并自撰了序文。

罗氏1949年去台湾，1969年12月病故，他的这部诗作，未见在报刊上介绍登载过。

张建侯遗诗

李鼎文

我于1945年夏，毕业于国立西北师范学院国文科。临行之前，曾持宣纸一幅，请张建侯先生写字以作纪念。张先生特用小篆写了他的《秋夜感事》五古一首，诗云：

鸡鸣星河低，残月近东井。
梦回起徘徊，夜气正清冷。
胡为不安眠？端因心耿耿。
国事方蜩螗，人欲互驰骋。
我为抱忧念，直如喉有鲠。
踟蹰霜露下，时自怜孤影。
忽闻铃铎声，其音清以冷。
直如古寺钟，发人深夜省。
人生若大梦，殷忧遽然醒。

哀哉利禄人，胡不清夜醒？

这首诗作于1944年秋，当时抗日战争已进行了七年，由于官吏贪污，民族败类大发其“国难财”，人民生活日益困苦。张先生当时常有愤激的言论，从这首诗也可以看得出来。

张焘，字建侯，后以字行。河南商城人。当时任国文系副教授。解放后，任甘肃省图书馆特藏室主任。1952年病故，享年六十一岁。

张先生写的条幅，我曾悬挂室内多年。“文化大革命”期间，它同黎锦熙、刘文炳、李嘉言、王汝弼诸先生所写的条幅全都散失了，但这首诗，我至今还记得清楚。现在把它写下来，就算是张先生仅存于人世间的一篇遗作了！

马啸天射“虎王”

田企川

马啸天，回族，甘肃临夏市人。幼年因家贫随舅父到兰州卖酥饼，以其生性喜爱学谜，平日经常边看书边烙酥饼，有时因看得入迷而使酥饼烤焦。他就是靠着这样的钻研劲头渐通谜道。后来以善于“射虎”而名扬兰州。

1947年，当时兰州报纸的《绿洲》和《山水人物》两个副刊，请涂竹居在“虎栏”和“文虎征射”专栏里每次出数条灯谜征射，马啸天每每射之，

中者十有六七。一次,有条灯谜被定为“虎王”,谜面是“裁”(射《诗经》一句)。马啸天为了找到谜底,终日钻在《诗经》之中。从头至尾一篇篇翻阅,连翻四遍,也未获答案。一天早晨六点多,外面下着雨,就又从头至尾默背起《诗经》来。先背完四字和三字句的各篇,未发现有贴切的,就又背五字句的,当背到“哀哉不能言”一句时,心中一动,倏的想开了:“哀哉不能言”,就是“哀哉”二字无有口。“哀哉”二字去掉口,再套在一起,岂不是“裁”字吗?想到此,他不由拍手叫绝,便冒着雨,踏着泥泞跑到安定门外涂竹居的家。这时,涂竹居正洗脸,听啸天说射中了“虎王”,有些不大相信地问:“几个字?”马啸天伸出一把手,涂竹居笑着点头默认了。

任震英赋诗澄华井

梁新民

澄华井,在今甘肃武威地区行政公署西楼南侧小花园内,现改建为机井。

清康熙初年,凉庄道署(今武威行署驻地)在掘井时挖出上镌“澄华井”三字石碣一块。武威著名书画家张美如曾作《澄华堂观张芝古井碑阴残字》七律四首,考定“澄华井”三字系张芝所书。张芝是张奂的长子,东汉大书法家,后被誉为“草圣”。晋王羲之对汉魏书迹，惟推锺(繇)、张(芝)两家，认为其余不足观。张奂(104—181)字然明，敦煌渊泉(今甘肃玉门市西北)人，约在东汉延熹五、六年间(162——163)任武威太守。由此看来，东汉武威郡治即今武威行署所在地。这一古迹对考定汉代姑臧(今武威市)城的地理位置有极重要的科学价值。

1937年秋，中共地下工作者任震英，奉国民革命军第八路军驻兰办事处党代表谢觉哉之命来武威营救失散的红军西路军指战员，住在交通部甘新大道督办公署工程处(今武威行署驻地)。当时有两名红军女战士，因不能忍受国民党反动派的侮辱迫害，投澄华井自尽，任震英为之悲愤不已。

1990年8月的一天，七十八岁高龄的任震英重游武威，在澄华井边，抚今追昔，感慨万端，赋诗《澄华井边得句》一首：

英雄为我身躯裂，浩气长存昭日月。
五十三载此恨深，凉州塬上花如血。

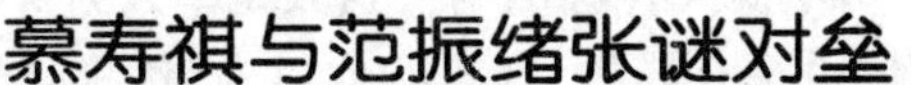

慕寿祺与范振绪张谜对垒

田企川

1949年前，兰州中央广场甘肃省政府门前，有两个文化单位，一个是俊华印书馆，一个是新生书店，两家的经理系亲戚，都喜爱风雅。三十年代末的一个春节，俊华印书馆筹办灯会，张谜征射，并请了甘肃文化名人慕寿祺为“盟主”。新生书店同时也办了灯会，请另一位甘肃文化名人范振绪做“领袖”，和俊华印书馆唱起对台戏。

慕寿祺和范振绪，一个是清末举人，一个是清末进士；慕知识渊博，著作甚丰；范诗书画皆佳，名满金城；论制谜造诣，二位先生也旗鼓相当。慕寿祺不仅经常主持灯谜会，而且还在自己主办的小报上刊登灯谜。因此，参加这两个灯谜会的人士非常多，可谓极一时之盛。

慕寿祺和范振绪两位先生所出灯谜，大多射五经四书之句。如慕寿祺的一条灯谜为“希特勒撕毁莱茵条约”(射四书句“必来去法”)。每夜出一百来条，争奇斗巧，令人兴趣盎然。某年元宵节晚上，慕寿祺出一谜曰“华容道”(射汉代人名一)，有人射出“曹无伤”，甚得慕寿祺的称道，赠奖颇丰。第二天晚上范振绪也以“华容道”为谜面，征射尺牍用语一句。射虎老手孙炳元以“伏乞关照”射中，正欲领奖，忽然有人大喝一声：“留下谜来，我猜中了！”这人是举人出身的李绳祖，也是有名的“虎将”，他射为“伏维亮察”。在灯会上执事的店员按照原规定的谜底为准，硬说李绳祖没有猜中，而李绳祖却执意猜中了。正在双方争执的时候，惊动了范振绪，他走出来，一经询问，对两家所猜之谜底均很赞赏，于是各赠厚奖，皆大欢喜。

甘肃设学政之始

马骕程

尝读前人笔记，藉悉甘肃科举制度时之乡试，旧合闱于陕西。自清光绪元年(1875)恩科，陕甘总督左宗棠奏准清廷，始分闱举行，清廷简派正考官为徐郙，刘瑞祺副之，以主科考。翌年五月，清政府简派许应骙为甘肃首任学政。李慈铭于同年三月一日日记云："此甘肃设学政(教育厅)之始。应骙，番禺人(今广东省广州市番禺县)。闻其乡人言，绝不知文字，亦陇凉之大不幸矣。"晚清政府腐败无能，宦出无类，竟以不知文字之南郭之辈充任甘肃学政，以其昏昏，焉能使人昭昭！怪哉！

王世相的甲午制举策试卷

王勋业　王勋成

光绪二十年(1894),为庆贺慈禧太后六十寿辰,在京举行会试,世称“甲午恩科”。王世相应试未第。但此次会试的对策试卷他却保存了下来,并用楷书誊写得工整异常,格式亦合法度。

全文约二千余字，为八股文。文章以阐述“自新新民之义”来结构安排。针对策问中有关地理、财赋、国防等问题一一进行了对答。其中一段是这样说的:

> 夫古时防惟在陆,今则防兼在海。沿海七省,自辽东至粤东,海口林立。辽东居大海东北，津沽为畿辅翼卫，皆调兵驻守要地。山东、登莱二郡,地出于海,如人吐舌。烟台一口,尤为全省咽喉,亦为南北要冲。江苏之上海,为由江入海必经之路,欲固江防,必以上海为重镇,沿及两浙、乍浦、宁波,与瓯海相为策应。福建之厦门,全闽要口也;粤东之虎门,全粤管钥也。他如台湾为闽之屏障，琼州为粤之门户。由津沽南望,诸省势如长蛇。练战舰、设电线、调饷征兵,不日云集。高丽、日本,拱卫东南;溟渤万里,呼吸可通。海军所指,捷于桴鼓;棱威

即震，壁垒益新，战有不胜者哉？

文中表现了青年士子面对现实，关怀国事，以圣贤之言为今所用的态度，一片赤诚的爱国心，是可贵的。

金榜题名

杨国桢

我国最后的一次科举会试(殿试)考试，是清光绪三十年(1904)甲辰恩科。因我父杨巨川会试中试进士后，抄得发布"金榜"(小金榜)榜文如下：

> 奉天承运，皇帝制曰：光绪三十年五月二十一日策试天下贡士刘春霖等二百七十三名。第一甲赐进士及第，第二甲赐进士出身，第三甲赐同进士出身，故兹诰示。

据《皇史岁抄》载，各省举人在礼部会试录取后，由皇帝亲临主持殿试，并钦定名次。由内阁以黄纸表里二层，用满、汉文字写榜文，钤盖"皇帝之宝"，故称"金榜"。金榜分两种，张挂在北京东长安门外者称"大金榜"，进呈皇帝阅览者称"小金榜"(内容一样)。第一甲只取三名，称状元、榜眼、探花，皆赐进士及第；第二甲若干名，皆赐进士出身；第三甲若干名，皆赐同进士出身，统称进士。用黄榜公布中试进士名次的，世称"金榜题名"。

立诚中学

胡希蕴

立诚中学在陕、甘、宁、豫诸省很有名气。

1918年，胡景翼将军将靖国军阵亡将士的二十余名遗孤，收容在他的家乡陕西富平县庄里镇樊五斋先生家中，请了马渥天、朱维全两位老师教他们念书。翌年又招收了一些家境贫寒的子弟入学，并将地址移到“三官殿”。所有费用由靖国军供给，当地人称这些学生为“官费生”。

1920年，由靖国军拨款和民众捐献相结合，在已经开办两年教学班的基础上开始建校，到1921年建成。在落成典礼上，胡景翼将军亲临讲话，还题了“文化”二字。他根据《大学》中“立诚”、“正心”的寓意，将学校定名为“立诚学校”，强调教学宗旨是：阐发最新的学说，陶冶理想的人格，创建健全的社会。

这所学校先是小学，1926年增设了初中班，1945年又办起了高中班。1925年，共产党员李子健等人在校建立了团组织。1926年，学校又建立了地下党组织——“立诚党小组”，这是陕西渭北一带的第一个党组织。1936年，学校成立了“民族解放先锋队”，与后来的国民党的外围组织“抗协”进行过尖锐的斗争。1945年，该校又成了共产党通往陕北的地下交通站。

立诚中学为中国革命培养了很多优秀人才。中国共产党领导人之一习仲勋就曾在该校就读。在建校六十五周年的时候，习仲勋发来了贺信，高度赞扬了学校的光荣革命传统。

闯开大学女禁的邓春兰

王九菊

"五四"时期，甘肃一女青年，曾上书著名学者、北京大学校长蔡元培先生。书中说：

> 春兰早岁读书，即慕男女平等之义，盖职业政权，一切平等，不惟提高吾女界人格，亦合乎人道主义，且国家社会，多一半得力分子，岂非自强之道？欧美往事可为殷鉴。我国数千年皆沿防隔内外之陋习，欲一旦冲决藩篱，实行男女接席共事，阻力必多。且女子无能力，何堪任事。是故万事平等，俱应以教育平等为基础。……自来社会风气的转移，未有不赖先觉之俦为之倡导者。……我国提倡男女平等者，民国二年，先生任教育总长，宣布政见，于参议院曾一及之，乃如昙花一现，遂无人过问矣。今阅贵校日刊，知先生在贫儿院演说，仍主张男女平等。然则我辈欲要求于国立大学增女

生席,不于此时更待何时?……

这位自称为春兰的女青年,就是邓春兰。不料此时适值蔡元培离职居沪,未得回音。她又投书报界,她的呼吁书是:

"报界诸先生转全国女子中学毕业及高等小学毕业诸位同志大鉴:启者,欧战告终,西半球之女子,多因助战功勋,获得参政权利,出席国会,为议员者已有多人,将见其女总统出现矣。反观我国教育尚未平等,遑论职业,更遑论参政。相形之下,惭愤何如?妹不敏,已代我诸姊要求北京大学校长蔡孑民先生,于大学添我女生席,不意妹函至京,适遭变故。……天下安有不耕耘之收获哉!顷拟组织大学解除女禁请愿团于北京,……以牺牲万有之精神,至百折不回之运动,务达我目的而后已。……

她的这种正义主张和要求,一经在北京《晨报》、上海《民国日报》发表,立即引起舆论界和名人学者的支持和响应。如李大钊曾发表题为《战后之妇人运动》的文章,胡适撰文为《大学开女禁问题》。一时形成了妇女解放、大学开女禁的社会声势。

1919年9月,北大校长蔡元培复职,这位辛亥革命人物向报界明确表示:"明年北大招生时,准许有报考大学程度的女生报名,只要及格就可录取。"翌年北大果然破天荒地录取了九名女生,邓春兰即其中之一。

邓春兰,循化县(时属甘肃,今属青海省)人,早年即随其父定居兰州。五十年代任甘肃省文史研究馆员。与余早年相识,后又同馆,故友谊甚笃。邓1982年辞世,享年八十五岁。

我参加的一次考试

马礼常

1936年夏,冀察政务委员会委员长宋哲元创办"冀察政务委员会大学毕业生训练班"。其目的有二:一是使大学毕业青年有就业前途和施展其才的机会;二是时值日寇窥视华北,对学生进行军事培训,充备军事人才。

训练班招生时,报名者三千多人。我也参加这场考试,经过初试,录取二千多人。复试录取一千多人,其中女生四十二人,均进行半年训练,设普通必修课和军事训练课。训练班地址在南苑。男生在南苑营地住宿,我们女生住市内,由车接送,全部供给伙食。毕业时,由张自忠将军指挥学员们演习现场战斗。毕业分配时,男学员有三人分配任县长,还有的充任政工人员,也有到军队的。有个陕西户县的女同学,文学较优,分到北平市政府当秘书。我和张锦堂是学哲学教育的,分到北平市政府社会局教育科,办理中、小学教育事宜。

在颁发毕业证书仪式上，给每个学员赠一方形大铜墨盒，上刻有“共同救国”四个大红字，上款刻“冀察政务委员会大学毕业生训练班毕业纪念”，下款刻“宋哲元赠”字样。“文化大革命”中，为保存墨盒，我竟将上下款用沙纸擦掉，后来追悔莫及。

知弟子者莫如师

马骕程

汪旭初(东)先生，中央大学词学教授。某日，余与王凌云同学晋谒。先生曰：“知弟子者莫如师，此言信矣。昔余年十七，游学日本，余杭章太炎先生亦东渡，谓余曰：‘子胡不在国内从师而来此耶？且在国内子又以为谁可师者？’余应之曰：‘国内学者固多，然除孙仲容(诒让)外，馀皆不足师也。’先生乃欣然函介，令余归国从之。余返上海，报载孙先生死矣。余面函兴悲，数日废食。某夕，展函读之，始知章先生谓余才华高茂，宜习词章，而不适考据。余遂怪章先生小我，颇不快，修书以闻。复书至，复问再有谁可师者。余返日，即以先生报，许之，遂执弟子礼。数载后，黄季刚(侃)问章先生曰：‘吾与旭初孰贤？’先生曰：‘论考据，彼拙于子；论词章，子不如彼。’至今思之，余平生治学工拙之处，早为章先生论定矣。”

李恭受业于章太炎

张西原

李恭，字行之，甘肃甘谷县人，北京中国大学文科国学系学习，尤嗜音韵训诂，殚精于《尔雅》、《说文》、《方言》、《释名》、《广韵》诸书。深得吴承仕、范文澜教授赞赏。1933 年，归陇执教。1935 年 9 月，赴苏州，投于国学大师章太炎先生门下国学讲习所从学。同期七十二人中，甘肃仅李恭一人。

李恭性朴讷端严，师事尤谨，受业间为师整理《古文尚书拾遗》七篇。民国二十五年六月，章太炎殁于姑苏寓庐，行之躬亲含殓，并为悼辞曰："道丧言庞，各与其党。命世哲人，吾师余杭。民族主义，毕生提倡。以儒兼侠，气度浑刚。华胄沦浃，咸怀忠良。严夷夏防，馀事文章。"

旋归于陇右，数度寄款接济章氏夫人汤国梨。章夫人致书行之曰："足下持正义，谊笃于师门，梨环诵来书数过，为之潸然。……承多惠金，受之不安，而感慨尤深。"

郭维屏协助西北师院建校

王九菊

1937年，抗日战争爆发后，北平师范大学、北平大学、北洋工学院等相继西迁至陕西城固，在北平师大的基础上，成立国立西北师范学院。该院又于1941年春，由院长李蒸率领，从城固迁来兰州。在建校过程中，郭维屏以师友关系协助，将校址选建在兰州十里店。但建校的木材很成问题。这年冬天，他又会同该校李云亭，亲赴青海西宁，找到了青海省政府秘书长黎丹。在黎大力协助下，始得到青海省政府主席马步芳及前主席马麟的赞助，拨给了大量的木料。除兴建教室、办公室、实验室外，还修了个能容纳千人的大礼堂。

郭维屏(1902—1981)，字子藩，甘肃武山人。北京师范大学研究生，曾任上海同济大学、兰州大学教授，甘肃省参议会副议长、甘肃省文史研究馆馆员等职。攻教育，善书画。

盛彤笙与我国第一所畜牧兽医学院

张西原

盛彤笙(1911—1987),江西省永新县人,留学德国柏林大学时,获医学兽医学博士学位,是我国著名的兽医学家、微生物学家和兽医教育家,曾任全国政协委员。他曾在兰州洒下了辛勤的汗水。

1938年盛学就回国，任西北农学院畜牧兽医系主任、中央大学教授。1946年秋,国立兰州大学成立。应兰州大学校长辛树帜之聘,就任兰州大学兽医学院院长。1947年4月,兰大兽医学院独立建院,改名为国立西北畜牧兽医学院,盛彤笙仍任院长、教授,兼任细菌科主任。这是我国第一所畜牧兽医学院。

国立西北畜牧兽医学院的创建,盛彤笙从选择校址、建房到购买图书仪器,都亲自擘画。他还罗致了不少著名学者、教授来校任教。一时国立西北畜牧兽医学院名声大振,培养了一大批畜牧兽医人才。1950年，该院改为西北兽医学院，1952年,改为西北畜牧兽医学院,盛彤笙仍任院长。后该院并入甘肃农业大学,成为畜牧兽医系。

忆庚款临洮讲习会

权少文

管理中英庚款董事会，系根据英国退还我国庚子赔款指定作为发展教育事业经费而成立的。朱家骅为董事长，杭立武为总干事，设计委员为顾颉刚、梅贻宝、陶孟和、王文俊。英方董事戴乐仁(John Tayler)亦参加，决定补助甘肃、青海、宁夏、绥远(今内蒙古自治区)四省教育设备费年二十万元。1937年，顾颉刚先生来兰州执行此项任务。余与颉刚先生在清华有师生之雅，即趋访顾先生，告以在临洮举办讲习会，以“讲师”名义约请讲学。余应之。

1938年1月初讲习会正式开学，兰州前往讲学者有周志拯、杨向奎、王树民、权少文、王志梁等十余人。讲习会设在临洮文庙县立中学，余等均作息于此，条件艰苦。顾颉刚任会长，临洮教育局长刘尚一帮同襄理，洪谨载任教务主任。到会学习者一百四十余人。讲习内容有：精神讲话、战时教育、教学法、农业等方面的课程。教学方法除专题讲授外，每晚安排小组讨论会，由讲师与学生结合实际共同提出问题研究讨论，真似一“专科班”。以此讲习虽不足匝月，而学习者所获甚丰。为此，皋兰、渭源及天水等县纷函要求援例开会讲习。

此事已过去半个多世纪，而与共事者多已谢世。属此稿兼以怀念顾颉刚先生及诸同仁也。

我所知道的辛树帜

王秉钧

辛树帜，湖南临澧人，著名生物学家，教育家。1946年夏，来兰任国立兰州大学第一任校长。年五十左右，身躯壮健，精力充沛，极富事业心。他将国立甘肃学院改为法学院，将西北医专扩充为医学院，新设一个文理学院，一个兽医学院，组成具有四个学院的完全大学。时兰州交通不便，不少人视来兰为畏途。辛先生凭着个人声望和努力，延揽了数十名专家教授任职任教。并聘请顾颉刚先生来校讲学二月余。

时余任甘院附中校长。辛多次亲临附中区学生宿舍、教室视察，看到学生听讲秩序井然，课外各项活动认真力作，入夜，各教室灯火煌煌，学生复习课业鸦雀无声，他非常满意。

他为解决附中校址问题，亲自到上西园觅得一省银行仓库旧址，准备购地筹建。当我看到附中缺乏必要设备，想添置一部新出版“中学生丛书”时，他马上拨给专款添置，并给附中新制了不少办公用具以及床板、坐椅、课桌、课凳。最

使我感动的有两件事：

(一)他的秘书刘宗鹤一次来找我，说辛校长想让他的孩子上附中学习。我说，附中学则规定，凡学生入学或插班，均须通过考试。刘说，辛校长孩子能否格外照顾?我说，此例一开，今后难对别人。是否先让辛老的孩子随班旁听，俟学期终结，各门功课及格，再改为正式生。刘秘书向辛校长汇报后，辛很愉快地说，办学应该如此。即让自己的孩子到附中先当旁听生。

(二)当时兰大教务长董爽秋教授，看到附中教员月薪均高于兰大讲师，便提出异议。刘秘书向我反映。我说，附中教师，都是学有专长、富有教学经验的老教师，有的教师是大专院校的副教授或讲师，他们每周上课，均在十八小时以上，批改作业，一周百余本，是很辛苦的。大学讲师未必愿意或都能胜任这样繁重的工作。附中所以能取得社会赞誉，主要靠教师的优良。刘向辛校长汇报后，辛说，我很赞赏以高薪聘良师的办法。对董的意见，未予置理。

从这几件事情可以看出，辛树帜先生确是一位富有实干精神的教育家，至今遗爱陇上，令人怀念不止。

李嘉言

李鼎文

李嘉言，字慎予，河南武陟人。1942年秋，任国立西北师范学院国文系副教授。当时正是抗日战争时期，教师的生活是清贫的。但先生安之若素，把全部精力集中到学问方面来。在兰州十里店的小屋内，土墙纸窗，一张书桌，一盏煤油灯，经常工作到深夜。记得一次讲左思《咏史》："郁郁涧底松，离离山上苗。以彼径寸茎，荫此百尺条。"这时板书了自己的近作一首："何为栖栖与，羲和御日行？物皆随之转，我亦得吾生。鄙事今仍习，贤心老更成。穷通知有命，不为寸苗惊。"表达了自己坚持教育工作的精神，也表示了对权势者的蔑视。1944年元旦，他在门上贴着隶书写的一副春联："门前拓展无穷路；面北欢迎有德人。"横批是："不求斋"。这副春联的上联，表面上指的是兰新公路，实质上指的是中国的光明前途。下联提出了做老师的标准，要德才兼备，德要放在第一位。

先生经常称道他的老师陈寅恪先生治学的谨严，要我们有一分材料说一分话。在讲"辞赋研究"课程时，他除了介绍前人研究《楚辞》的成果以外，有时也讲自己的见解。如讲《九歌·云中君》的“龙驾兮帝服，聊翱游兮周章”。说“帝”是“离”(螭)的形误，“服”读为《易·系辞下》“服牛乘马”之“服”，作驾御讲。“龙驾”、“螭服”，相对为文。《九歌·河伯》：“驾两龙兮骖螭”，《九章·涉江》：“驾青虬兮骖白螭”可为旁证。在教课之暇，继续修改《贾岛年谱》。在贾岛的《长江集》中，有一首七绝《渡桑乾》：“客舍并州已十霜，归心日夜忆咸阳。无端更渡桑乾水，却望并州是故乡。”这首诗多数人认为是贾岛作的。但唐人令狐楚编选的《元和御览诗集》中却作刘皂。先生根据何焯、萧穆的意见，并作了补充，确定这首诗的作者是刘皂。抗日战争胜利后，《贾岛年谱》由商务印书馆出版。接着又作《长江集校注》。他当时有改编《全唐诗》的计划，曾撰《全唐诗校读法》一文，发表在1941年《国文月刊》上。

1944年端午节，为了纪念爱国诗人屈原，西北师范学院国文学会出了壁报，还举办了纪念晚会。在会上，先生作了讲话，他强调屈原追求真善美，不与恶势力妥协，不惜以身殉之的战斗精神。抗日战争胜利后，先生到开封河南大学任教。曾给我来信说，原来他老师闻一多先生曾约他在抗战胜利后回北平清华大学，自从闻先生遇害后，再不想去了。闻先生之死对他的刺激很大，过了不久，就进入解放区了。解放后，先生任开封师范学院中文系主任，主持《全唐诗》的改编工作。

我在毕业前，曾持宣纸一卷请先生写字留

念。他写的是《离骚》:“何昔日之芳草兮,今直为此萧艾也?岂其有他故兮,莫好脩之害也!”1965年从开封师院来信,谈到教育子女的问题,强调青年人要参加生产劳动,向劳动人民学习。先生给我的好些信札,都已在十年前遗失了,但这封信的内容还记得清楚,每当回想起来,就受到教益。

凉州“贤孝”

李德文

晚清年间,因社会动荡,民不聊生,凉州(今甘肃武威市)地区饥民日增,乞丐成群。凉州四个城门洞中经常有许多乞丐(其中多盲人)唱着凄凉的歌,向行人乞讨。时凉州有一落第秀才名沈其玉,能诗善文,会拉弹唱。虽家道豪富,却无力解民倒悬,感慨之余,便想出一个办法来:借鉴乞丐的唱腔和当地民歌,根据历史故事和民间传说,编出若干唱段。把一些盲人请到家中口授给他们,让他们以此去谋生。从此,凉州城乡便出现了一批身背三弦、手拄长棍以卖唱为生的盲艺人。唱段的开头大都有这样的词句:“高高山上一清泉，流来流去几千年，世人都吃泉中水,愚的愚来贤的贤。”“酒色财气四堵墙,人人都在里面藏，谁能跳出四堵墙，大贤大孝美名扬。”因劝人为贤行孝等为宗旨,故名“贤孝”。盲艺人被称为“瞎贤”。

沈其玉家中经常住着许多盲艺人，终于把一份家产耗费完了。他的徒弟中有八位较有名气,人称“八大弟子”,其中最出色的是徐宝娃(又称徐宝子)。他曾到青海等地演唱,吸收了外地的唱腔和唱段,还增编了许多新段子,使“凉州贤孝”这一艺术形式得到丰富和发展。当时流传的唱段就有“二十四孝”、“三十六卷”、“七十二记”之多,著名的有《白鹦哥盗桃》、《丁兰刻木》、《汗巾记》等。宣统三年(1911),武威抗暴义士齐振鹭被官府杀害,徐宝娃的徒弟李洪元第一个用“凉州贤孝”唱出了歌颂他的唱段《鞭杆记》(又名《打巡警》)。

时至今日，武威城乡还随处可以见到这样的场景:盲艺人弹拨着三弦,唱着悠长婉转的贤孝曲调；席地而坐的听众不时发出哄笑声或唏嘘声。而听众大多为农村的老头、老太太。

兰州太平歌

朱太岩

兰州旧俗，于每年春节至正月初十左右的夜晚，有演唱太平歌的活动。一般以两三相联街巷为单位，有好事者三五人，在适当地点组设一个伴奏队，为群众前来演唱提供条件。伴奏乐器非常简单，一面鼓，一副钹，同时敲打。曲调也很简单，一句上扬，一句下抑，纯以兰州方言说话式的演唱，有类评话，有时为照顾节拍，还在歌词中加上虚词。歌词有长达五六十句的，也有短到十几句的，一般则为三四十句，末字均须押韵。内容取自《东周列国志》、《三国演义》、《说岳》、《水浒》等小说中故事片段，有自编的，大都是根据某一事件，率多劝人行善务正之语。当乐队奏完一通鼓钹后，即可听到人群中的演唱声，演唱者唱完头两句后，即有一声鼓钹，第三句则拖腔到一句半的节拍，接着就是一短阵鼓钹，第四句以后，就由唱者一句一句唱下去，惟对最末一句，则须两字、三字拖腔到两句节拍，这时，伴奏者就知道要结束了。接着就是一阵鼓钹，鼓钹停点后，便会有人接着演唱，直到一通鼓钹甚至二次、三次后，仍无接唱者时，即告停止。大约1930年以后，这种一年一度、民间自发的太平歌，就听不到了。

漫话兰州鼓子

张西原

兰州鼓子,又叫"兰州曲子"。曲牌丰富、唱腔优美。表现形式,有的光说不唱,有的光唱不说,有的又说又唱,或似说似唱。乐曲是由唐宋时的"杂曲子"曲牌联缀起来,并在"敦煌曲子"和"唱赚"的"缠令"基础上演变而来。据《四库全书总目提要》记载:"宋安定郡王赵德麟(令畤)始创商调鼓子词,用'蝶恋花'谱西厢十二首。"此种叠词,宋人往往合鼓而歌,谓之鼓子词。明朝前七子之一李梦阳在《空同集》中说:"如今里巷之词曲,不学而能之,急徐高下皆板眼,所谓知音也。及问其出某吕某律,孰宫孰商,则不知也。"

兰州鼓子词在流传过程中,逐渐演变、丰富、充实,发展成"套曲"(联曲体)的曲式,并形成三种声腔,即"鼓子腔"、"越调腔"、"平调腔"。这三种腔由七十一只传统曲牌组成,形成了流传至今的曲艺品种。

民国时,有苏韶琴者,搜求得二百余首,编为八册,名为《鼓子杂抄》。民间艺人李海舟"踵续古乐府家,采集民间歌谣之余韵",采集兰州鼓子词曲达千余段,嗣经李孔炤编选,又经慕寿祺厘定四百余首，为一时盛举。乐此道而有成者，民初，有苏韶琴、张式儒、王寿山等人，之后有李海舟，惜现已后继乏人。

颜鸿都作画

邓　明

颜鸿都，字汉卿，兰州颜家沟人，清咸同间庠生。多才多艺。善抚琴，能谱曲，工书画。画学王摩诘，尤善画柳，时人称“颜柳”。

其寓所临水渠，渠边多古柳，树影婆娑，浓荫蔽空。遂署其书斋曰“深柳读书堂”。读书之余，徜徉渠边，仔细观察柳树四季不同形象，烂熟于胸。每年暑期，取兰州绿皮西瓜，刀刮表层绿皮，阴干研末，过细筛，调为绿颜料用以作画。所绘柳树三五一丛，或老干斑驳，或柔条飘舞，或初现鹅黄，柳絮轻扬，或烈日浓荫。无不神态万千，气韵生动，个中得力于瓜皮粉末颜料甚多。

爱国"三弦圣手"唐万寿

张尚瀛

唐万寿又号唐江湖，回族，甘肃广河县唐汪川人，为甘肃著名爱国艺人。他自幼铁喉善歌，又喜三弦琴，由于刻苦锻炼，至清末民初已成为"商音北宫调绝唱名家"、"窜子北宫调的唯一继承人"。他不仅唱腔入谱谐调，且声音宏亮，字正腔圆。琴技亦精，深得三昧，临夏、兰州鼓子艺坛誉之为"三弦圣手"。

八国联军入侵北京之时，唐万寿正值壮年，激于爱国义愤，毅然赴京，从戎于马福禄营中，据守正阳门，抗击侵略军。他除身带兵刃外，仍身背三弦琴，战隙偶弹一曲，激昂悲壮，颇壮军威。某日与侵略军白刃交锋，洋鬼子见他身背三弦子，不审为何武器，丧胆而逃，致获大胜。马福禄正阳门壮烈殉国后，他随甘军护驾至西安。后脱离军旅，流落社会，虽抱一身三弦琴技，竟未得知音，贫病交加，潦倒终身。1944 年七十三岁谢世，临终犹抱三弦琴在怀不放，人琴共亡。

今兰州市回族八十四岁的鼓子名老艺人米永庆乃唐万寿之甥，深得其心传。

常香玉在平凉

曹 恭

抗日战争时，华北、中原大部沦陷，一些逃难的大富商贾拥挤到平凉，市面畸形繁荣，剧院就有七八个。常香玉随豫剧狮吼剧团流亡到平凉。该团演员都是知识青年，经戏剧家樊粹庭先生训练，唱腔、武打兼优，演员阵容整齐，除著名正旦常香玉外，花旦王景云、小生张云生、青衣马金桃、武旦王景先、丑角董有道等，也很受观众欢迎。演的都是抗敌卫国，反对封建礼教，抑恶扬善，除暴安良的新剧，如《女贞花》、《巾帼侠》、《凌云志》、《洛阳桥》、《麻疯女》、《桃花庵》等。尤以常香玉演的《木兰从军》更受欢迎，群众赞不绝口，受到了爱国教育。剧院每场爆满，轰动了平凉城。

她们还举行义演捐款，为平凉柳湖师范学校修建了一幢教室，一座大礼堂。

回忆管夫人在兰州的演出

柴木兰

管夫人喻宜萱女士是我国著名的女高音歌唱家,因嫁管姓,故惯称"管夫人。"

1948年7月，她应西北军政长官公署长官张治中将军的邀请,来兰州演出。首先在张治中将军住宅花园里,为兰州市新闻界及地方各界人士,举行了独唱演出,博得了一致的好评。然后在五泉山东龙口八卦亭上,为兰州市群众举行独唱音乐会。某晚,当皋兰山巅还在夕阳霞光辉映之时,群众已经开始涌向五泉山麓,万头攒动,摩肩接踵,有的登上山头顶,有的爬在树梢上。晚八时整,张治中将军陪同管夫人和钢琴伴奏毛宗杰教授来到了。管夫人穿一身黑色丝绒夜礼服,别具一种风采,经张将军作简单介绍后,开始演唱。连续唱了《跑马溜溜的山上》、《教我如何不想他》、《在那遥远的地方》、《沙里洪巴》等几支民歌,人人都洗耳静听,并报以热烈掌声。直到晚会结束时,她的动听歌声,还在五泉峡谷中回荡。

她到兰州后,曾看过我,也交谈了关于音乐方面的知识,尤其是有关高音、花腔和抒情的女高音等特点,对我启发很大,并增进了我们之间的深厚友情。

藏学家才旦夏茸活佛

青海·谢热

班禅额尔德尼副委员长生前曾说:“我国藏族中,在藏学方面有这么高的造诣的人不多。他的著作是多方面的, 在培养人才方面也作出了贡献,我非常尊敬他。他热爱共产党,热爱祖国,维护民族团结和祖国统一。”他,就是著名学者、藏学家才旦夏茸活佛。

才旦夏茸于藏历十五绕回铁狗年 (1910)四月二十二日生于青海省循化县积石镇一个杨姓藏族富豪之家。三岁时,被确认为上辈才旦夏茸活佛的转世灵童,六岁坐床。由于他天资聪颖,勤奋好学,在晋美丹曲嘉措大师的指导下,学习了很多佛教经典,具有很高的造诣,在甘肃、青海藏区和西藏享有盛誉。

新中国诞生后,才旦夏茸活佛积极参加各项民族事务工作和发展藏族文化事业的工作。1954年夏,他到首都北京,参加了党和政府的政策法令、宪法和毛主席哲学著作的翻译、审定工作。从1957年开始,他与其他藏族学者合作,完成了大型藏族史诗《格萨尔王传》的整理工作。又到青海民族学院任教,除热心教书育人之外,先后编著了《藏文文法》、《诗学通论》、《汉藏词汇》、《藏文尺牍》等藏文教材。还续写了晋美丹曲嘉措大师未完成的《堪仓全传》的后半部,并且在其中写入了歌颂共产党、毛主席的内容。这是以往藏族学者著作中所没有的。

"文化大革命"中,才旦夏茸活佛受到了冲击,多年手稿和珍贵文献被付之一炬,他痛惜至极。但凭他良好的记忆和执著的热情,在缺乏资料的艰苦条件下,进行了《藏族历史年鉴》的写作,这部著作已由青海民族出版社出版。

党的十一届三中全会以后,和各族广大知识分子一样,才旦夏茸重见光明,被聘任为西北民族学院少语系藏文教授,为培养研究生和教师辛勤工作。他以更高的激情,在完成教学任务的同时,积极投入写作。短短几年中,撰写论文和整理专著一百多万字。他提出了许多独到的见解,为学术界推许。如《时轮历算速算法》、《夏历二十四节气，闰月、日、月蚀速算法》等，开创了藏族前人未有的新算法，现已流行于藏区。在《汉历义释》中，他吸收了先进的科学观点，否定了藏族历史上一些学者在天文学方面的错误论述。

正当才旦夏茸活佛潜心研究学问，进行大量著述之际，不幸于 1985 年农历五月十三日在甘肃拉卜楞寺圆寂，享年七十五岁。

才旦夏茸曾是甘肃省政协委员，在社会上声望素著。甘青各族人民都怀念这位热爱共产党、热爱社会主义祖国的著名藏族学者。

保安腰刀的传说

保安族·马少青

保安腰刀是保安族的工艺品，在国内外享有盛誉。其制作历史较长，元代已有一种木柄皮鞘刀。保安族后来迁徙到甘肃临夏县大河家，制作的腰刀开始具有商品性质，品种增多，质量提高。发展到今天，在设计、锻垫、淬火、镶嵌等方面有了新的发展，有二十多个品种，工序多达四十到八十多道。规格有五寸、七寸、十寸三种。品种有 “十样锦”、“雅五其”、“双落”、“满把”、“扁鞘”、“细螺”、“波日季”、“哈萨刀”，“蒙古刀”等。

关于“波日季”腰刀的来历，相传从前有一

年，这里突有魔鬼作怪，三天两头，就有一两个姑娘丢失。铁匠哈克木，一天半夜，他一人握腰刀藏在魔鬼出入的洞口，到三更时分，忽见魔鬼跑出来，哈克木举刀向魔鬼头上砍去，却没有砍伤魔鬼，它还大笑着向庄子奔去，这天夜里庄内又是通宵没得安宁。

有一天晚上，哈克木梦见一白胡子阿爷说道："你的腰刀虽然出名，可没有一样制服魔鬼的刀子。"哈克木忙问："什么样的刀子才能制服魔鬼？"阿爷说："这种刀子叫'波日季'，对面山上天池西边有棵老树，照此树的叶子打一把腰刀，刀面上要凿上树叶的图案。"哈克木照样子打好了"波日季"腰刀。这天晚上，哈克木便守在魔鬼的洞口，半夜，待魔鬼又从洞口出来时，哈克木迎面挥刀猛刺，只见"波日季"正刺中魔鬼的头顶，原来被斩断的是一条黑粗蛇。哈克木进洞，救出了被魔鬼抓去的姑娘，庄子又兴旺起来。后人为了纪念哈克木的功劳，至今保留"波日季"刀原来的式样。

永登"吉普赛人"

戴晨光

甘肃永登县柳树乡蒋家湾村的村民，素以卜卦为业。据1986年统计，有一百零四户、四百八十二人。他们究竟属何种民族？历史源流如何？至今仍是个谜。但人们称他们的男子为“蛮子”、妇女为“蛮婆子”，又称“甘肃的吉普赛人”。他们不与外族通婚，虽会讲流利的汉话，但间有许多内部的语言。服饰十分奇特，女性头缠黑首帕，戴长串式耳环，身穿宽松大襟花边上衣，灯笼式裤子，大片天足，穿针线绗夯实的暗色花鞋，鞋头很尖且向上翘起。每个家庭都供奉着一个神秘的神，据说是蚩尤。他们沿袭着一种严厉的“族规”：全家老少至少三年要外出远游一次，否则据说将遭“天火烧光”的灾祸。

每年春播以后，他们便三五结伙地外出算卦。男的手提一个鸟笼，敲打木板或口吹短笛。算卦时先让训练好的山雀给你衔出一张画有食路、官气、吉凶祸福的纸牌，按画面进行解释，使人似信非信，只得掏钱酬劳。而女的就不同了，她们练就温柔和善的态度，和甜言蜜语的口才，且善于察言观色，揣度各种人们的心理。一开口先给你一个甜蜜的称呼，接着通过拉家常，悟出对方秘密，然后掐算一番，道出你的苦衷。许下给你消灾、祈福、升官、得子、娶好媳妇、嫁好女婿的诺言。完了要你给桃花娘娘许愿、布施。临别时给你拴一根红头绳，约好“明年灵验再来”。

她们的外出生活是相当艰苦的。有的全家一头毛驴，把行李和小孩驮在驴背上；有的背上小孩和简单行李，手拄一根木棍，即到处跋山涉水，夜晚从不住店，一般在寺庙窑洞住宿。特别是有些怀孕的妇女，待小孩生下，勉强休息三天，将小孩绑在怀里又开始长途跋涉了。在家或外出的大权一般由妇女支配，特别在“流浪”期间，主要收入还靠妇女维持，男人只不过是随从而已。

对他们的来历原来有许多传说和猜测：有说她们是原始土著的苗人，因为她们供奉的是蚩尤。有说是古代西征之湖湘将士的后裔，故有卜卦之遗风。建国前历史学家罗香林便有这个假定。有说是川贵边境移来的彝族，因为他们的语言、风俗与彝人有相同之处。这是1945年复旦大学历史系学生考察的论证。1947年8月5日《西北日报》刊登署名甘尼的一篇题为《甘肃的吉普赛人——永登的“蛮婆子”》的文章。建国后陆续有人撰文介绍，但均未超越甘尼文章的范围。

十世班禅大师的坐床

青海·拉毛措

第十世班禅大师洛桑赤列伦珠确吉坚赞圆寂已有三周年了，为缅怀大师，粗作短文一篇。

1939年(即藏历十六绕回土虎年)正月初三日，第十世班禅大师降生在青海循化文都乡玛日村的文都千户家中。大师出生后，起名为宫保慈丹,他自小体弱多病,特别在三岁时,得了一场重病,家人根据拉卜楞寺高僧拉科仓·久美赤列嘉措的意见,把大师送到文都寺,之后的确自愈了。他在文都寺居住了三年,有时自己玩耍,有时听僧人们诵经,有时自己悄悄走回家中,家人又把他送回寺内。大师自小就聪明灵异,不同寻常,他不愿穿新衣服,而要穿破旧衣服,他自己会放布施、扎吉祥绳等。至今在当地群众和文都寺还流传有许多大师幼年时的奇异事迹。

1937年底,九世班禅大师洛桑图丹却吉尼玛在青海玉树结古寺圆寂。1941年,班禅行辕的罗桑坚赞等人到青海各地分别寻访九世班禅大师的转世灵童。1942年,将寻访到的十个灵童(大师是其中之一),集合到塔尔寺,分别派到各个噶尔哇(活佛的寓所)居住,大师被分到了嘉雅活佛的噶尔哇。当时曾将九世班禅用过的念珠、书籍等混在相似的物品中,让十个灵童选取,大师在这些物品中拿了一枚戒指,它正是九世班禅的物品。因此在十个孩子中大师排为第一。到次年大师六岁时,堪布会议厅又把包括大师在内的三个孩子召集到塔尔寺,大师又住进嘉雅活佛的噶尔哇,这次住了七个多月。当时堪布会议厅已将青海的寻访情况报告给国民政府、西藏拉萨的达赖喇嘛和噶厦政府,达赖喇嘛在拉萨大昭寺打卦卜算,结果大师也排在第一名。但是由于噶厦政府向国民政府电告时,提出将三名灵童会集拉萨,在布达拉宫抽签决定,而没有

提中央派人进藏抽签及主持坐床典礼的事，因此遭到堪布会议厅的反对。国民政府在这种情况下，将认定和批准九世班禅的转世之事拖延下来，迟迟未作正式决定。大师是九世班禅的真正转世已无可怀疑。如果不尽快迎请大师，就直接影响大师以后的学经事业。1944年农历正月堪布会议厅正式派员到循化文都玛日村迎请大师，正月十五，在塔尔寺扎西康赛(班禅府邸)举行了堪布会议厅内部坐床仪式。至农历四月十五日，班禅堪布会议厅将大师迎请到塔尔寺的大金瓦殿，在至尊宗喀巴大师的大银塔前登上法座，并由拉科仓·久美赤列嘉措等十位活佛和几名格西，为大师举行了剃发出家仪式，传授了居士戒、近士戒和沙弥戒。起法名为洛桑赤列伦珠确吉坚赞。由堪布会议厅决定，大师拜拉科仓·久美赤列嘉措和荣增嘉雅活佛为经师，由嘉雅活佛经常在大师身边守护，照管他的吃、穿、住、行和诵经等事务。又过了一年，堪布会议厅请拉科仓给大师传授了时轮金刚法会、密多罗、金刚鬘、宝生百门等等教法。在以后的五年里，大师学完了在佛教寺院中常念的各种经典，另外还学习了《大庄严论》、《入行论》、《慈氏五论》、《释量论》以及密集三部、时轮供奉、大威德金刚灌顶、时轮金刚灌顶等教法。另外，从长寿灌顶到时轮金刚法会的各种教法仪轨也都融会贯通了。

1949年，青海的色赤、土观、热科、东科尔、

却藏、色多、米纳等活佛以及喜饶嘉措大师、蒙藏王公千百户等分别联名致电蒙藏委员会，要求国民政府明令宣布大师为第十世班禅额尔德尼，护送入藏坐床，或按照第七世达赖喇嘛格桑嘉措的旧例，在塔尔寺举行坐床典礼。同年六月二日，国民政府代总统李宗仁颁布命令，准予宫保慈丹继任为第十世班禅额尔德尼，免于金瓶掣签。农历七月初三日，十世班禅大师的坐床典礼在塔尔寺文殊殿前的讲经院隆重举行，由国民政府派来的蒙藏委员会委员长关吉玉主持，关吉玉宣读了准予继任十世班禅额尔德尼的命令，颁发给一枚镀金印，并向班禅大师赠送了礼品。参加坐床典礼的有青海各地僧俗群众五千余人。

1952 年，大师前往拉萨，5 月份抵达日喀则扎什伦布寺，5 月 15 日，班禅大师在扎什伦布寺的森穷意噶群增殿举行了坐床典礼，自此班禅大师正式登上了历世班禅大师在扎什伦布寺的法座，正式开始了宗教领袖的生涯。

此事的始末，系班禅大师的经师嘉雅活佛生前对余所述。

回族"和平老人"郭南浦

言 微

郭南浦(1873—1958),又名福金,泾源县人,后以行医移住兰州。同盟会员,我国回族中的知名人士。平生仗义疏财,广交朋友,善于排难解纷,与西北军政上层交往甚多。

1949年8月26日兰州解放后,拥有绝对优势的人民解放军为减少战争给地方和人民造成损失,力求和平解决宁夏问题,物色沟通信息的适合人选。郭南浦首先应命而出,他对解放军十九兵团领导杨得志、李志民说:"我与他们(指马鸿逵、马鸿宾)虽不同姓,却系同族同教。我愿将大军对回家的情谊和为国为民的宗旨转告他们。"领导担心他古稀之年,难以跋涉历险,郭慷慨回答说:"丈夫为志,穷当益坚,老当益壮。老马之智可用也。"当即组成以他为首的数人赴宁夏和平代表团。为路途方便,雇一辆商家汽车北行。在同心地区冒险越过双方对峙的火线,到达银川。

宁夏当局将他们软禁起来,禁与外界交往。但代表团到来的事实本身,便对宁夏军心的涣散起了促进作用。时任"西北军政长官公署副长官"的马鸿宾前来跟他们见面,郭以老友身份对

其作了诚挚的解释工作，促成了他直接指挥的第八十一军的起义和宁夏的和平谈判。未久，人民解放军进入银川，完成了宁夏的和平解放。

十九兵团首长对郭南浦备极称赞，将一面绣有“和平老人”大字的锦旗赠给了他。此后，郭南浦历任甘肃省人民代表大会代表、甘肃省人民政府委员、甘肃省政协常务委员，与杨得志将军等一直保持深厚的友谊。1986年，任总参谋长的杨得志为之亲笔题词：“南浦老人赤子心，宁夏解放立功勋。”

裕固族的婚俗

春　浦

裕固族是全国五十六个民族中甘肃独有的少数民族。其婚礼分两天进行，第一天在女方家，客人除饮酒祝贺外，并歌唱古老的婚礼歌。此时新娘由伴娘陪同进入典礼房，在歌声中，戴上毡帽，佩戴胸饰和背饰，由姑娘改扮成少妇的装饰，即到正房外边小毡房中休息，等待男方迎娶。

第二天，女方送亲队伍喝了“上马盅”酒后，便送新娘到男家。快到新郎家时，男方在路旁备有酒肉，请送亲人“打尖”、休息。而新娘按传统规矩，仍用面纱遮住面孔，骑在骆驼上。当男方将送亲队伍迎到家门时，男方在正房门外也准备好一小毡房，供新娘休息。这时送亲者驰马冲向毡房，企图把毡房踏倒，而男方亲友则用树枝敲击毡房，并高声吆喊，使马惊不敢前来。如果女方送亲者马队踏不倒毡房，就绕毡房三圈而回，承认“天赐良缘、白头偕老”的合法婚姻。

至此，伴娘始陪同新娘进入客厅，新郎开始举行穿戴仪式。亲友高声朗诵《赠礼词》，并拿着缠有羊毛的羊小腿和酥油，朗诵《赠羊腿词》。朗诵后，将羊腿交给新郎，晚上与新娘同吃，羊腿上的羊毛象征着夫妻永远和睦，拉不开、扯不断的意思。最后主人向客人分送一份羊肉，婚礼即告完成。

甘南藏包子

马天彩

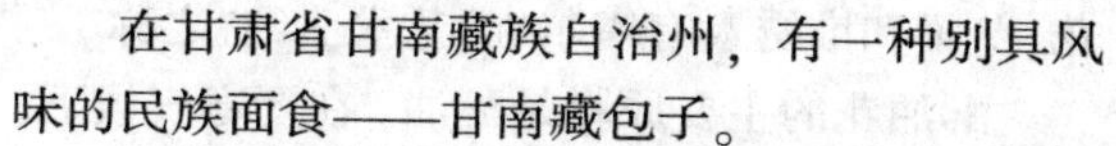

在甘肃省甘南藏族自治州，有一种别具风味的民族面食——甘南藏包子。

甘南藏包子，又称“卓华包子”，因形如牛眼睛，还称“牛眼睛包子”。它皮薄雪亮，馅子清晰可见。吃时须先从顶端吸吮包子内的油水，然后食之。如果拿起包子就咬，就会油水四溅，狼狈不堪。

最早的藏包子是以青稞面为皮，牛羊肉为

馅蒸制而成。现在,则以白面为皮,以羊肉为主馅,加适量羊板油,佐以葱花、酱油、味精、花椒水等调料。包子皮是将白面烫好后,用手捏制。一次可捏制成大小相等、薄厚均匀的四五张。包好的包子顶端有旋涡,外形十分美观。一般以旺火蒸十五至十八分钟即熟。佐以蒜泥、醋、酱油、辣子油,吃起来油而不腻,软嫩可口,鲜美异常。

当远方的客人,来到甘南大草原时,好客的藏族人民,一定会请佳宾领略藏包子的独特风味。

塔尔寺的艺术三绝

白 丁

坐落在青海省湟中县的塔尔寺，是我国藏传佛教黄教创始人宗喀巴的降生地，是著名寺院之一,也是古代藏文化艺术的宝库,其中酥油花、壁画和堆绣素有塔尔寺"艺术三绝"之称。

酥油花的主要原料是酥油。在严寒气候下,将酥油经凉水加工揉练成膏状备用。制作时,由"掌尺"(带班的艺人) 和助手选定题材，进行设计;用草束、麻绳等扎成"骨架",然后用陈旧酥油掺上细草木灰在"骨架"上"定胎",再用膏状酥油揉进颜料"敷面",最后再"装盘",使一座酥油花架组成包括若干人物、景象的完整故事形象。每年正月十五，是展示酥油花的盛节。斯时，塔尔寺门前有大批酥油花展出，青海各州、县乃至甘、川、新等省(区)的各族人民都来观看，人山人海，盛况非凡。

关于酥油花的来历，有一种说法是，唐朝文成公主出嫁松赞干布时，从长安带去佛像一尊。拉萨的喇嘛为了表示尊敬，在这尊佛像前供奉了一束酥油花，从此制作酥油花便成为习俗。而“文成公主进藏”也成为制作酥油花的最主要的题材。此外，举凡佛像、人物、禽兽、树木、花卉、建筑物和宗教神话故事等，无不是信手拈来的题材。内容丰富多彩，造型生动，形态逼真，深受广大观众喜爱。

壁画是塔尔寺内殿宇墙壁上的绘画，有的绘于布幔上，张挂于墙壁，有的直接绘于墙壁或栋梁上。采用石质矿物颜料，色泽鲜艳，经久不变。基本色调是红、黄、蓝，兼用绿、白、紫多色。以对比手法，冷、暖色交替使用，形成善恶、慈凶的强烈反差，与汉族绘画不同，具有浓郁的藏族绘画风韵。有些是草木、花卉，有些是鸟兽、人物，还有不少是佛经的插图，主题多以扬善惩恶的宗教意识为主，具有警世喻人的寓意。

堆绣，最初称为“堆棱”，是刺绣与浮雕巧妙的结合，即运用“堆”的特殊技法进行刺绣。制作时，先将绸缎剪成所需尺寸的人物、鸟兽、山川、花草、虫鱼等形状，在底部填充厚薄不同的羊毛或棉花，然后用彩色丝线刺绣在画幅布幔上，整个画面由一块块、一件件拼合而成，因而有较强的立体感。堆绣的题材以佛经故事为主。寺的大经堂内悬挂的“十八罗汉”一向被称为堆绣的艺术珍品。每年农历六月六日观经会上，塔尔寺要晒出的巨幅佛像，就是堆绣巨作。那是在特制的锦幔上，用彩色绸缎堆成长数十丈、宽十数丈的一尊大佛像，从山顶一直布展到山腰，供游人瞻仰，蔚为壮观。

塔尔寺的喇嘛中，有一批制作酥油花、壁画和堆绣的高手，他们承前启后，代代相传，大多从幼年即从事这一工作，积累了丰富的经验和精湛的技巧，年复一年地在这块艺术园地里默默耕耘。

我国最早的地图出于天水

冯绳武

1986年春，在天水市东南的党川乡发掘出七幅松板古地图和四百六十支秦简。经发掘人多年整理，先后在《文物天地》(1988年第6期)和《文物》(1989年第2期)上发表了题为《天水放马滩秦墓出土的地图》的文章。并在《文物》上刊出改编原图的分类略图十一幅，定名为《战国秦邽县地理全图》。这件事，引起学术界的注视。

拙见以为，发掘者有误会原意之处，一是误以为原图的“上”字指北，与现今地图的方位相同。实则我国古地图都是上南下北，与现代地图方位正好相反。因此,发表的附图是以南为北,以东为西,使原图河流的方向和各居民点的位置都颠倒了。

二是,将原图上的中心城镇“封丘”误改为“邽丘”。《周礼·王制》云:“五十里为封”。《周礼·地官》云“八家同井,四井为邑,四邑为丘”。因知周时的“封”与“丘”是具有一定面积和人口的基层政区。与“邽”字无涉。

三是,关于成图的年代问题,据同时出土的秦简,其第一支云:“八年八月己巳,邽丞赤敢谒御史……”。第三、四支云:“三年……与司命使公孙强北出赵氏之北”(注:赵氏指山西赵城)。“八年”,是秦的哪个皇帝时的八年?发掘者定为“秦始皇八年”,缺乏确证。查秦国自置邽、冀二县后,至战国末期的秦王政二十六年(前 221)改邽县为上邽为止,共四百六十七年,其间经历了二十八个帝王,而在位八年以上,且亲自到过晋国联姻的,只有五霸之一的秦穆公一人,因知“八年”应是“秦穆公八年”,此其一。据秦墓出土棺木的 C^{14} 测定结果,为距 1950 年前的 2350±60 年,约在秦孝公八年(前 354),成图当早于棺木下葬之时。此其二。再从秦简第一支“八年八月己巳”来分析,这是干支纪日,但也可能是古代纪年的另一方式。而秦穆公八年(前 652)正好是干支的己巳年。此其三。据此三点,我们可以说,此图当成于秦穆公八年或其以前。比“秦始皇八年”早了四百十三年。

因此，这张地图，早于长沙马王堆汉墓出土的帛图四百八十四年，比西安碑林所藏的石刻《禹迹图》、《华夷图》早一千七百八十八年，距今已达两千六百四十三年，当是我国最早的一幅地图，在世界上也是稀有的古地图。为此建议定该图名为《春秋秦国邽县封丘区图》。并望将原图复印，与现今同区的三十万分之一地图合并出版，以弘扬文明古国之光。

古浪县名的由来

赵燕翼

甘肃古浪县，古称苍松或昌松。以境内多为松林所被覆，故名。明太祖洪武十年(1377)，始易名为“古浪”——其时尚属庄浪卫所辖一屯守所。清雍正三年(1725)，复升为古浪县，以迄于今。

为什么易名为“古浪”?据清《古浪县志》云：“明江亨筑城于今治，取水名改为古浪县。”所谓“水名”者，即指古浪河也。然以“古浪”名河，以汉语义颇难解。故近时有人以“祁连”、“疏勒”为例，疑“古浪”为某民族语言地名(笔者即力主此说)。后经藏族学者证实，“古浪”确为藏语“黄羊沟”的音译。

自唐“安史之乱”后，河西走廊数度陷于吐

蕃。叶蕃系藏族先祖,主要从事游牧生活。当时苍松故地山高水长,林草丰茂,是最好的牧场。因为这里有条条山沟, 黄羊成群, 便称其地为"黄羊沟"。按藏语将"黄羊"叫做"古尔","山沟"名为"浪哇","古尔浪哇"连读时将"尔"、"哇"二音发轻声或于省略,这样就变成了"古浪"。正如永登县的"庄浪"是"野牛沟"一样,它们都是古老的吐蕃民族于千百年前遗留下来的历史的陈迹。

在一个很长的历史时期,凉州(包括古浪)是由汉族和吐蕃族交替统治的。但无论哪一个民族占据统治地位,被统治的一族不会全部迁走,都会有人留居下来。所以,"古浪" 这个吐蕃地名,久而久之,也就被当地杂居的汉民族逐渐习惯,而成为该地区各族人民公认的地名。

历史上已经形成一个习惯地名, 要从人民群众的口碑上抹掉,并非易事。故唐衰、宋亡、元灭,直至明代之初,尽管官方将苍松故地屡易它名,而本土百姓却仍然叫它"古浪"。当明朝派驻这里的官吏江亨另筑新城时, 便承认了大众习惯的叫法,正式把这块地方定名为古浪。

郭沫若与铜奔马

陇　丁

1969年10月,在甘肃省武威县雷台(因土台庙内供奉雷祖,故名雷台)下的东汉墓中发掘出来的铜奔马,身高三十四点五厘米,长四十五厘米,重七公斤,原色为发绿的古铜色。它一蹄着燕,三足凌空,昂首长啸,飞跃奔驰,头向左微微昂起,口鼻微张。飞燕展翅回首惊视。造型矫健精美,气韵生动,神形兼备。据考证,这是东汉晚期灵帝中平三年至献帝期间(186—219)的杰作。它的造型排除了地面和空间的障碍,解决了重量和速度,想像和现实间的矛盾,同时又科学地合乎力学原理地达到了平衡稳定的效果,完美地塑造了一个"天马行空"的形象。

铜奔马出土后,先在甘肃省博物馆展出。1971年9月,时任中国科学院院长的郭沫若陪同柬埔寨宾努亲王访问兰州期间,参观了甘肃省博物馆。当郭老看到铜奔马时,不禁拍案叫绝:"真有气魄。"并高声宣布:"这是一件罕见的艺术瑰宝。"

郭老回京后,向北京故宫博物院展出的全国十省(区)出土文物展览会推荐了这件珍品,立即将铜奔马运去展出。赢得了国内外史学家、考

古学家的美誉。《光明日报》、《文汇报》、《文物》等报刊纷纷发表文章，称赞铜奔马是“无价之宝”、“当今世界独一无二”。后应邀在日、美、英、法、意大利、瑞典、奥地利等国家展出，被誉为“引人注目的明星”、“绝世珍宝”、“艺术作品的最高峰”。

铜奔马原件，现存北京故宫博物院。甘肃武威市博物馆及甘肃省工艺美术厂从1978年开始，经国家文物局批准，进行复制和仿制，行销国内外，深受喜爱和赞许。

南郭寺三绝

周法天

南郭寺位于天水城南二华里处的慧荫山上。唐朝大诗人杜甫于公元759年深秋，寓居天水时，曾游历其中，写下了“山头南郭寺，水号北流泉。老树空庭得，清渠一邑传。秋花危石底，晚景卧钟边。俯仰悲身世，溪风为飒然”的不朽诗章。从古至今，文人雅士，各界名流，慕名而来者，接踵比肩。

寺内大殿庭院有“古柏”、“龙爪槐”和“卫矛”树各一，它们并称为南郭寺“三绝”。

古柏

南郭寺究竟创建何时?据《秦州志》和《天水县志》的一致说法是“年代久远,无以稽考”。但庭院中的一株古柏,多少给人们留下了一些信息。此古柏一根三杈,南北斜卧,有如龙钟老人。特别是古柏南卧的一枝,如巨蟒凌空而下,枯干黛色,无一横枝,仅在二十余米的顶端,生长着一个不大的树冠,微微上翘,奇秀异常,下垂着几条枯枝,衬托出无比的神韵,观者无不叫绝。

1986年10月,北京园林科学研究所古树扶壮专家李景龄曾慕名来南郭寺,对这株古柏作了科学考察,称此古柏为“稀世之宝”、“活的文物”。次年秋,李景龄第二次来,对古柏作了示范性扶壮工作,在扶壮过程中,第一次发现古柏是一根三枝,纠正了千百年来认为是三棵树的看法,同时从西北侧的一枝死枝表皮上取样二公斤,送往北京国家地震局经C^{14}测定,认定古柏迄今为一千七百二十八年至一千八百二十八年之间。

1990年10月20日至25日,在天水举行了“中国北方古树扶壮第四次会议”,有14个省、市、自治区的专家学者和领导参加。与会专家学者在南郭寺现场进行了热烈和认真的讨论,一致认为对古柏测试的取样部位不合适,因为古柏斜向西北的死枝直径1米多,应从死枝中心取样,才较合理。争议结果,公认古柏生长年龄

距今约为两千三百年至两千五百年。几位权威专家在古树登记表上签字盖章，以备查考。其中山东泰山的一位裴工程师风趣地向古柏鞠了一个躬说："泰山有一棵汉柏，距今两千一百多年，我经常以全国之最向游人介绍，称全国古树中的老大哥。这次回去要对泰山的古柏说：'你是弟弟，老大哥在天水南郭寺。'"

卫矛

卫矛，又名鬼箭羽，属卫矛科，是落叶灌木。南郭寺的这株卫矛叶茂枝秀，干粗枝荣，斜插天表。李景龄说："卫矛多生长在长江流域，在黄河流域能长二十多米高，直径五十七厘米，确实稀罕。"以此，这株卫矛可为黄河流域第一树，又为一绝。

龙爪槐

龙爪槐，又名蟠槐。它高魁古岸，弯曲萦绕，屹立于南郭寺院的东北角。参加古树扶壮第四次会议的专家对它赞叹不已，称其"在全国是首屈一指"。不仅树干直径五十八厘米，为全国首见，又奇在树冠不像其他龙爪槐圆而下垂，而是自然的弯曲起伏，回环往复，有巨龙腾空之势，又有回首顾盼，曲折流连的情态。它夏季枝繁叶茂，遮蔽着树身树干，看上去，如龙游于云雾之中，只能看见龙的一鳞半爪，而龙的全身使人无法捉摸。所以，夏季观赏，就叫它"龙游云中"。到了冬季，木叶尽脱，龙形全现，爪牙毕露，看上去，如争强斗胜的群龙，飞舞空中。所以，在冬季观赏，又叫它“群龙聚舞”。如果是下雪天参观龙爪槐，就如同“树舞银蛇”。

敦煌白马塔

张尚瀛

在敦煌县故城址南部党河乡，矗立着一座十数米高的土塔——白马塔，迄今已历一千五百多年。

这座土塔与鸠摩罗什有关。鸠摩罗什，是后秦时的高僧，生于龟兹(现新疆库车一带)，父籍天竺(印度)，幼年出家。后秦弘始三年(401)到长安东传佛教，途经敦煌时，其所乘白马病死，埋葬于故城内，当地群众遂建此塔以作纪念，故称“白马塔”。

塔身九层，高约十二米，最低一层是八角形，经历代整修，用条砖包砌，每角面宽三米，直径约七米；第二、四层为折角重叠形；第五层下周有突出乳钉，上为仰莲花瓣；第六层覆钵形塔身；第七层为相轮形；最上面为六角形的坡顶刹盘，每角挂有一铃。塔系土坯垒砌，外涂灰泥。在第二层塔上有镌石两块，镌木一块。石上有“道光乙巳桐月白文彩等重修”等字迹；木上刻有

"民国二十三年八月拔贡朱永镇、吕钟等再修"字迹。据记载,此塔于1930年还曾出土过一座九十厘米高的黑石造像塔,上刻《金刚经》,不久遗失。国内现存一千多年的土塔,实属罕见。

诗人笔下的炳灵寺

匡　扶

炳灵寺在甘肃永靖西南黄河北岸的积石山中。为仅次于敦煌莫高窟的另一丝路佛教艺术胜迹、文化瑰宝。

据文献与残存碑刻记载,炳灵寺又有灵岩寺、冰灵寺、冰林寺、丙林寺等异名。今日所见诗人笔下有关炳灵寺之作,以明代为多,如解缙《冰灵寺》诗:"冰灵寺上山如削,柏树龙蟠点翠微。况有冰桥最奇绝,作虹一道似天梯。"(见《解学士文集》)河州儒学教授高弘《灵岩寺》七律:"梵宫嵂崒与云齐,风景繁华入望迷。丈室钵龙含法雨,禅床春燕落香泥。烟消宝殿山容净,日转疏林树影低。僧在定中空色相,松窗月暝夜猿啼。"河州同知鲍龙《冰灵寺和解内翰韵》:"冰连桥寺称双绝,山共云林接太微。我欲穷高寻胜览,悬崖谁肯引仙梯。"(均见《河州·文籍志》)

桥滩石刻又有河州贡生吴调元诗云:"山风淘浪浪淘沙,两岸青山隔水涯。第一名桥留不住，古碑含恨卧芦花。”其父吴祯曾首纂《河州志》。诗中所称“第一名桥”，为峡口古桥，残存石刻旧有“天下第一桥”字样，故诗中及之。

明人所存题炳灵寺诗作独多，原因何在？值得进一步的探索。

兰州淳化阁帖石刻

少 文

兰州淳化阁帖石刻，素来享有盛名。它始于明代，明太祖将“淳化秘阁法帖”颁赐肃藩庄王朱楧。朱楧的后代肃宪王朱绅尧及其子朱识鋐将此帖原本延工摹勒于富平石上。石质密致，摹法刻工，传神逼真，与原帖无异。历七年竣工，冠绝他刻。原刻藏肃王府中（今甘肃省人民政府内）。明末李自成起义军攻克兰州时，朱识鋐死，王府将石刻沉藏于府内井中。直到清同治年间左宗棠任陕甘总督来兰州后，才打捞出送儒学署即文庙(今兰州二中)保管，置于大成殿东侧之尊经阁中。后儒学署裁撤，尊孔社住入。再后尊孔社并于全陇希社，石刻遂由该社保管。1938年，日寇轰炸兰州，为策安全，将石刻埋于大成殿南面院中。1939年，志果中学在文庙中成立。后志果中学与全陇希社间发生矛盾，全陇希社遂于1944年，乘志果中学校长赵元贞出访宁夏

之际,将石刻掘出移往贡元巷丰黎义仓内。后来当时兰州市政府明文指定石刻由志果中学保管。于是又由丰黎义仓运回志果中学，置备木架,镶在尊经阁檐下,计石刻一百四十五块,二百七十八面,木刻四十块。

一份珍贵文物,数百年间沉沦辗转,真可谓历尽沧桑劫难,良可浩叹。现在则由甘肃省博物馆珍藏,始得其归宿。

此事之经过，多系赵元贞先生生前对余所述。

天下黄河第一桥

张西原

黄河经兰州一段，自古为通往河西走廊及青海、新疆和西域的交通要津,但无桥梁。明洪武五年(1372),征西大将军宋国公冯胜为进军急需,便在兰州城西七里许的黄河上建造浮桥。洪武十八年 (1385)，兰州卫指挥佥事杨廉移置浮桥于兰州城北的白塔山下 (今中山铁桥附近),南北两岸各立铁柱二,称“将军柱”。系铁缆二,各长四百米,以二十四只大木船贯连浮荡河面,船上顺架木梁,横铺木板,周以栏杆,便利军师与行人车马,名“镇远桥”,号称“天下第一桥”。但浮桥冬拆春建,事烦费巨,交通不便,且多危险。此桥直沿至清末。

清光绪初年,陕甘总督左宗棠,拟修建黄河铁桥,因德商索价至六十万两白银之多,此议遂中止。至光绪三十二年(1906),德商泰来洋行驻天津经理喀佑斯来兰,与兰州道兼农工商矿总局总办彭英甲商议,德商泰来洋行愿承修兰州黄河铁桥,索价十六万五千两白银。但由于甘肃按察使白遇道守旧势力的阻挠,几经周折最后才由陕甘总督允升转奏清廷批准修建。

修建铁桥所需四百万公斤材料,由德商购自美国,由海轮运抵天津,再用火车运到河南新乡。从新乡至兰州则全靠兰州大车户王新年与同伙,以骆驼大轱辘车转运,其劳顿之状,可以想见。兰州黄河铁桥于光绪三十四年(1908)四月十日开工,宣统元年(1909)八月八日竣工,共用库平银三十万零六千六百九十一两。桥长二百五十米,面宽八米,中间为宽六米的车行道,两侧各有一米宽人行道,有桥栏相护,桥有五墩,保固期为八十年。

兰州黄河铁桥是黄河上最早的一座铁桥。1942 年,为纪念孙中山先生,改名为“中山桥”,沿用至今。

凉州感通塔西夏文碑

张思温

凉州感通塔西夏文碑，是西夏崇宗天祐民安五年(1094)刻立，已经国务院公布为全国重点文物保护单位，现存武威市文庙，由武威市文管会保管。它是认识西夏文字，研究“西夏国书”文法、语法的第一手实物资料，极为珍贵。

西夏存在了将近二百年，被成吉思汗征服时，其国都凡有文字的东西，尽被毁灭无遗。近年考古者从银川市的西夏陵墓区发掘出的碑石，都是碎块，难于拼读。此碑远在河西，封闭多年，得以幸存，确不容易。它的发现，有段曲折故事，值得一谈。

清嘉庆九年(1804)，知名学者张澍(字介侯，武威人，《清史稿》有传)因病辞官，由贵州玉屏回到武威原籍。在这一年的重阳节前后，他和故乡友好多人游览地方名胜古迹，来到城内北隅的清应寺中，看见一座碑亭，前后都砌砖堵死。问当地人也不知是何碑，只说封闭已久，相传不可开启，开启必有风雹之灾。张澍想探明究竟，便和住持僧人商量，要拆开一看。寺僧不同意。张澍便和同游诸人承诺：如有祸灾，由我们承担，与住持无关。才得允许。雇工数人，先把前面打

开,露出了西夏文石刻。张后来在他的文章中很形象地说:“乍视字皆可识,熟视无一字可识,方整与今楷书无异。”他判断碑的背面必有释文,又把后面的砖封拆去,果然发现了汉字的释文。他高兴地说:“西夏字,其臣野利仁荣所造,或言元昊自作,未知其审。此碑自余发之,乃始见于天壤。金石家又增一种奇书矣。”他写了一篇《书后》的文章,还作了四首七言律诗,详述其事。刊于他的《养素堂诗文集》中。

张澍学识广博,著作甚多。晚年定居西安。生前自刊有《二酉堂丛书》、《诸葛忠武侯集》等多种,其他遗稿皆藏于家。后为法国人伯希和购去一部分,藏于巴黎国立图书馆。还有一部分,现存于陕西省博物馆,均待整理。

清应寺塔,在武威城北。“双塔倒影”曾是地方一景。1927 年地震圮坏。西夏文碑,则由地方人士移至文庙保存,1938 年我在武威曾拓存数本。

弘化公主墓

杨常青

清同治元年(1862),甘肃武威县南营村居民为躲避战乱,在阳晖谷掏窑洞时,发现了一处大型墓葬,从出土墓志铭证实,是大唐弘化公主之墓。出土文物多失散于民间,民国时经乡绅唐发科等访察，找回墓志铭一方，其余文物一无所获。解放后,经过1980年彻底清理,清出彩绘木俑、丝织品残片、镶边银碗,均很珍贵。

弘化公主是唐宗室淮阴王李道明之女,贞观十四年(640)和亲下嫁给居住于青海地区的吐谷浑王慕容诺曷钵(唐封为青海国王)。弘化公主到吐谷浑后,对两方的和睦相处、文化交流起了很好的作用。后来,吐谷浑土地被吐蕃占领,吐谷浑国王诺曷钵及弘化公主，率领数千牧民逃至唐境凉州南山一带驻牧。到唐咸亨三年(672),唐高宗决定将其徙于鄯州浩门河以南地区,诺曷钵因该处地面狭窄,又临近吐蕃,不愿迁徙,遂改徙其于灵州(今宁夏灵武县),置安乐州,以诺曷钵为刺史。吐谷浑的臣民,绝大多数陷于吐蕃,后有部分部落内附唐朝,唐采纳凉州都督郭元振的意见,就近安置河西一带。据少数民族史专家的意见,现在散居于河西和青海的土族,即吐谷浑之后裔。

弘化公主于唐嗣圣十五年即武后圣历元年(698)五月三日,卒于灵州东衙私第,享年七十六岁。一年后由灵州迁葬于武威南山的阳晖谷。为何迁葬,原因有二:一是在凉州南山青嘴喇嘛湾一带有慕容氏墓地;二是凉州紧贴吐谷浑故土,虽生未实现复国大志,死后也要眼望遗民故土。由此可见弘化公主的爱国心是何等强烈!

嘉峪关击石燕鸣墙

甘　陇

万里长城西起点的嘉峪关，其关内城东光化楼的北墙脚下,用石相击,就会发出清脆悦耳燕鸣般的啾啾响声,人们称它为“击石燕鸣墙”。那么,它为何会发出这样的声响呢?

相传,过去有一对燕子筑巢在嘉峪关内。一日,双燕出关觅食,一燕先归入巢;一燕后至,关门已闭,不得入内,求偶不得,便悲鸣触墙而死,却留声于城墙壁中。此后当人们在此击石时,就会发出燕鸣般的声响。

以上传说，当然是不可信的。要考察其原因,应先从此段城墙的构造说起。击石燕鸣墙由城东光化楼北墙和城东墙的马道墙结合而成。光化楼北墙长 13 米，高 9.6 米。马道墙底部长 26.5 米,道面呈 23 度的坡度,由顶端平道向下,高 9.6 米。由于两墙身底宽上窄的特点,其相结处恰成 90 度夹角,且墙面由下而上向外形成一定坡度,因而就使这里成为一个底小上大,状似喇叭的特殊三角形地带,所以它发出鸣声,是由这个喇叭的形状形成的。这就是以石击墙产生燕鸣般回声的原因。

熠熠生辉夜光杯

马天彩

夜光杯，产于甘肃酒泉，是驰名中外的珍贵饮酒器皿。

夜光杯因倾酒入杯，对月映照，杯壁反光，与酒色相耀而得名。唐代诗人王翰曾为之写下"葡萄美酒夜光杯"的名句。近代叶剑英写"评泉品酒看光杯"的句子。

夜光杯历史悠久，相传西周穆王西游，与西王母在"瑶池"(今甘肃泾川王母宫)欢宴，西王母以夜光杯馈赠周穆王。当夜，把酒入杯时，对月映照，色呈白雪，反光发亮。穆王爱不释手。西汉东方朔的《海内十洲记》中说："周穆王时，西胡献昆吾割玉刀及夜光常满杯……杯是白玉之精，光明夜照"。

夜光杯是以祁连山的美玉为原料制作的。祁连玉有老山玉、新山玉、河流玉之分，颜色有墨、碧、黄多种。其质地细腻，纹样奇妙，软硬适度，适于雕琢。

夜光杯的制作工艺繁杂精细，要经过选料、造型、雕刻、定形、抛光等三十多道工序。近年来，艺人们在造型、雕刻、抛光等方面又有了新的突破，使夜光杯更加隽巧别致，莹晶玉润，光亮照人。

夜光杯主要用来做盛酒器皿。按其式样分，有中式的喇叭口形、仿古式齐口平底形、西洋式的高脚形、中西式的喇叭高脚形等，还有各种雕花杯、金丝边杯、银丝边杯等。有的壁薄如纸，玲珑精巧；有的雕工精细，俏丽别致；有的古香古色，似出土文物；有的新颖大方，具有时代色彩。且色彩绚丽，白的似羊脂，黄的如鹅绒，绿的赛翡翠，墨的像苍叶，五光十色，光亮鉴人。

夜光杯玉质优良，具有耐高温，抗严寒，斟美酒味更浓、色更鲜的特点。现已远销欧、亚、美三大洲的许多国家和地区。是国际市场上深受欢迎的名贵工艺品和日用品。

凉州葡萄与葡萄酒

赵以太　骆　曼

清同治十三年(1874),甘肃安定县(今定西县)进士王作枢(1827—1886)在《过凉州》诗曰:“白石黄沙古战场,边风吹冷旅衣裳。琵琶不唱凉州曲,且进葡萄酒一觞。”昔日凉州(今甘肃武威市)葡萄与葡萄酒的风景于此可见一斑。

凉州葡萄的种植始于汉武帝太初二年(公元前103年),由贰师将军李广利伐大宛国(今苏联中亚费尔干纳盆地)时引进。

汉灵帝时,凉州人孟佗仅用一斗凉州葡萄酒贿赂专权朝臣张让,就得了凉州刺史的高官。三国时,凉州葡萄酒与葡萄进贡魏文帝曹丕,曹丕下《凉州葡萄诏》曰:“且设葡萄解酒,宿醉掩露而食,甘而不饴,脆而不酸,冷而不寒,味长汁多,除烦解悁,又酿以为酒,甘于曲米,善醉而易醒,道之固以流涎咽唾,况亲食之耶。他方之果,宁有匹之者乎!”唐中叶后,凉州没于吐蕃,后又陷于西夏,嗣成为元朝牧地,致使凉州葡萄和葡萄酒日渐萧条。难怪北宋诗人苏轼也曾感叹道:“知甘酸之易怀,笑凉州之葡萄。”清代,由于社会生活稳定,经济发展,凉州葡萄又得以大量栽植,酿酒技艺也有很大提高,故而清代武威进士、著名史学家张澍(1776—1847)写的《凉州葡萄酒》中说"凉州美酒说葡萄,过客倾囊质宝刀,不愿封侯县(悬)斗印,聊拼一醉卧亭皋。"民国年间,天灾人祸,凉州葡萄与葡萄酒又趋于衰落。

说洮砚

马天彩

洮砚,与广东的端砚,安徽的歙砚齐名,是我国三大名砚之一。有"洮州石贵双赵璧","端州歙州无此色"之誉。

洮砚历史悠久, 早在宋代以前就已闻名遐迩。北宋著名鉴赏家赵希鹄,在《洞天清禄集》中说:"除端、歙二石外,惟洮河绿石,北方最贵重,绿如蓝,润如玉,发墨不减端溪下岩……得之为无价之宝。"北宋诗人、书法家黄庭坚也有诗赞曰:"洮州绿石含风漪,能淬笔锋利如锥。"相传古代学者还有为得洮砚而谋官洮州者。

洮砚, 是由洮石雕刻而成。洮石学名辉绿岩,属水成岩的一种。其质坚而细,莹润如玉,叩之无声,呵之出水珠。用以制砚,贮水不耗,历寒不冰,涩不留笔,滑不拒墨。具有发墨快、研墨细,不损毫,挥洒起来,浓淡相宜,得心应手等特点。石出甘肃古洮州,即今甘南藏族自治州卓尼县城东北五十多公里的洮河东岸喇嘛崖。这里山崖险峻，三面环水，水流湍急。洮石嵌在峭壁间，采掘十分艰辛。就连开采时落入洮河中的石料，也有"泅水取之极不易"的记载。

洮砚以绿色为主。有色深绿而带有水波状纹路的"绿漪石"，有绿色纹路中夹杂着黄色痕迹的"黄标绿漪石"，有绿中带深色墨点的"湔墨点"，有色绿而带有朱砂点的"柳叶青"，还有一种色如红玫瑰的，古称"鹛鹧血"……。以"黄标绿漪石"最为名贵，古人曾有"洮砚贵如何，黄标带绿波"的赞咏。

制作洮砚多是因材施艺，因色构图，雕琢成各种古香古色，独具一格的工艺品。要经下料、制坯、石刻等工序，所使用的工具有刀、锯、锤、铲、錾、铁笔、水沙等。洮砚品种上百种，有圆形、椭圆形、正方形、长方形等各种形状。有仿宋代的抄手砚、太史砚、兰亭砚、凤字砚、神斧砚、石渠砚；仿明代的十八罗汉砚、金钟砚、古鼎砚、古琴砚；仿清代的黄标飞龙砚、清泉砚、孔雀砚、石鼓文砚等仿古砚。近年还有创新的二龙戏珠、龙凤朝阳、虎出山林、犀牛望月、挂角读书、牧童放牛、喜鹊站梅、岁寒三友、八仙过海、青蛙戏水、鹿鹤松、龙钻云、马超龙雀、莫高窟石窟、嘉峪关雄姿、麦积山风貌等。各种图案形状，不论拟人状物，比鸟喻兽，类山临楼，均形象逼真，栩栩如生。这些精美卓绝的珍砚，远销日本、东南亚等世界各地，是国际市场上享誉极高的珍品。

苦水玫瑰飘香

赵朋柱　雷健全

甘肃省兰州市永登县苦水乡，被誉为玫瑰之乡。这里是弱碱土壤，日照充足，雨量稀少，蒸发量大，适于玫瑰生长。

玫瑰在苦水乡有一百七十多年的栽培史。相传清道光年间，苦水李窑沟秀才李乃先，赴西安科考落第，回家时带回一株玫瑰苗，在院内种植。玫瑰生长茂盛，花朵艳丽，芳香浓郁，深受乡民喜爱，于是竞相栽种。到解放前夕，苦水玫瑰已有二千多丛，年产鲜花七千公斤左右。

苦水玫瑰是钝齿蔷薇和中国传统玫瑰杂交而成的小花玫瑰，产花量多，出油率高，香味纯正，色泽殷红，被称为玫瑰中的佳品。玫瑰的用途很广，是糕点、糖果、饮料等食品和烟草、酒类、化妆品的高档香料，还可入药，具有顺气活血、舒肝解郁的功效，可治气喘、消化不良、跌打损伤、月经不调等多种病症。清代，苦水玫瑰曾作为“金城玫瑰”上贡皇帝。

1930 年前后，一些小商小贩即前来收购，运往兰州、天津等地，作为加工糕点及酿酒香料。当时，用苦水玫瑰为原料生产的天津玫瑰露酒，曾在巴拿马博览会上获银奖。

近年来，苦水又从国内各地以及苏联、保加利亚、摩洛哥、法国等国引进了许多品种。县上设立了苦水玫瑰研究所，专门作玫瑰品种的改良和技术指导。

1975年，苦水乡建起一座年产二十五公斤的玫瑰油厂，所产玫瑰油质量较高，价值与黄金基本相等。之后，厂又陆续扩大。现在苦水乡玫瑰成品和半成品加工已具有一定规模，可以生产玫瑰精油、玫瑰浸膏、药用玫瑰干、玫瑰糖、玫瑰卫生香等系列产品。

每年在玫瑰盛开季节，苦水一望无际的田野，是鲜花世界，灿若朝霞，香气袭人，赏花的游人络绎不绝，成为兰州附近的一大景观。

兰州百合

张西原

兰州百合，大可盈掬，洁白如玉，瓣肉肥硕，香甜可口，营养丰富，以佳蔬良药著称，为大宗外销产品。

兰州百合，初倡栽种者，为黄峪沟之杨万贵，当地农民均以“杨百合”称之。杨万贵因避兵乱，只身逃往陕西豳县(今彬县)、长武，为人佣工，甚爱当地所种百合。十数年后，家乡平靖，便将积攒的银子买了一头毛驴，驮着百合种子，回到家乡。黄峪沟为二阴山地，极适宜百合生长。经数年精心培植，又以麻渣(油渣)施肥，终获成功。品质远胜陕西豳县、长武所产。

兰州百合的推广种植，则得力于谭延闿之父谭钟麟。谭钟麟随左宗棠入甘，光绪八年(1882)任陕甘总督。他召见杨万贵，了解百合种植情况，贷款扶持。由此，兰州南山一带农民才得以大规模种植百合。

百合是“中看”、“中吃”、“中听”的佳品。兰州乡俗中，百合被当作吉祥喜庆之物，顾名思义，有“百年合好”之意。旧日新婚嫁奁中，红枣、核桃、红鸡蛋、百合是压箱之物，供贺喜的客人争相抢取。新娘子要用巧手将红色或金色的皱纸在洁白的百合上糊上一道封腰，再放入红绿丝线结成的网络中，来寄托对幸福生活的憧憬。

陇西“金钱肉”与“腌驴肉”

马天彩

甘肃陇西传统名食甚多。陇西金钱肉，又名蝴蝶肉、钱肉，以色艳、肉细、味美而久负盛名，远在唐代就是朝廷贡品。它以驴肾(鞭)为主料，其辅料与腌制方法和火腿相同。食用时用利刀削成薄片，肉质金黄透亮，筋纹紫红，味殊绝，香无穷，柔脆耐嚼，且有壮阳、强精之功效，是肾虚、阳亏患者的滋补品。

陇西腌驴肉，用上等驴腿肉腌制而成。色泽红润，利口香美，嚼之即酥，酥而不腻，是腊肉中的罕见稀有之品。腌制时把驴腿分选四块，去骨带血。每百斤鲜肉配“雪花盐”2.5 公斤，花椒 75 克，茴香 25 克，涂抹肉面各部，肉厚处用手指将调料塞到深处，然后一层层置于大缸内腌制。四十天以后，上下倒翻一次。再经二十天左右，方可腌好。陇西腌驴肉耐存放。有人将其放置太阳下曝晒七天，不但不坏，而且味也不变。故有人用“天上的飞龙肉，地下的腌驴肉”来赞美它。

著名的兰州刻葫芦

王九菊

兰州刻葫芦最早发明于清光绪十八年(1892)，那时兰州有个名叫王鸿平的裁缝和一个叫崔家娃的民间艺人，他们在带皮的葫芦上，较粗略地刻一些刀马人物和戏剧脸谱、名胜风景，售诸街市，作为儿童玩具。之后，又增刻些花卉、山水、虫鸟、人物等。到了光绪三十一年(1905)，有个擅长书法绘画的老艺人李文斋，始将书法、绘画刻在葫芦上。刻工维妙维肖。并对葫芦进行加工，刮去葫芦表面的原生皮，精心磨光，对刻画的人物加以染色，从此刻葫芦在内容、形式上都提高了水平。至1921年左右，兰州的古董商将其携往北京，遂引起各方的注意，被誉为“绝技”，并有到兰州来订货的。于是刻葫芦行销海内外，价格也由每个几串文升到一二十银元。

刻葫芦所用工具，是比头发丝还要细的刻针。所刻线条清晰，具有独特的艺术风格，刻出成品永不变色。其技法犹如国画的“白描”，远近、明暗、浓淡、光线等，都是用极简单的粗细线条组成，最奇特的必须一针构成。全采用工笔刻画，有的不加彩色渲染，葫芦的上下，环以“双万字”图案。这样刻出的景色层次分明，远近逼真，有立体感，玩赏者爱不释手。

李文斋去世后，王云山和王德山两位承继了此技。王云山善刻神话故事如《封神榜》、《西厢记》等；王德山则以《红楼梦》、《三国演义》、《水浒传》等书中的刀马人物为主。继二王之后则是画家阮光宇。他将精湛的书画素养带入刻葫芦技艺中，着手研究新题材和新刻法，创造了“四圈子”、“扇面子”、“镂空刻”、“彩染”等多种形式的刻葫芦造型，成为著名的刻葫芦专家。他的儿子阮文辉继承父业，青出于蓝，知名当代。他以较好的书法绘画功底，探索创新，摹仿徐悲鸿、齐白石的画格风韵，创造用刀刻法，铲、针、刀并用。他构思将一百二十个不同姿态的儿童刻于一个小小的葫芦上。他的兰州百态雕塑中，如头戴白帽的小伙子，两手麻利地翻弄羊肉串，张嘴喊卖烤羊肉；一位壮汉右手持刀，左手搭在嘴边，非常神气地吆喝着卖西瓜；还有酿皮担子、社火等等。他的四套六枚微雕葫芦作品《唐诗》二百零四首，是在直径5厘米的一个宫灯形葫芦上刻出，隽丽遒劲；《敦煌飞天》有一百二十位颜面清晰、手足灵动、吹笛抱笙、飘带飞舞的人物造型；还有唐诗：《陶园行》、《赤壁夜游》、《饮中八仙歌》等，被轻工业部定为国家珍品，由中国艺术博物馆永久收藏。他的许多精品远销英、法、德、苏、匈、日等国家。

青稞麦索

骆　曼

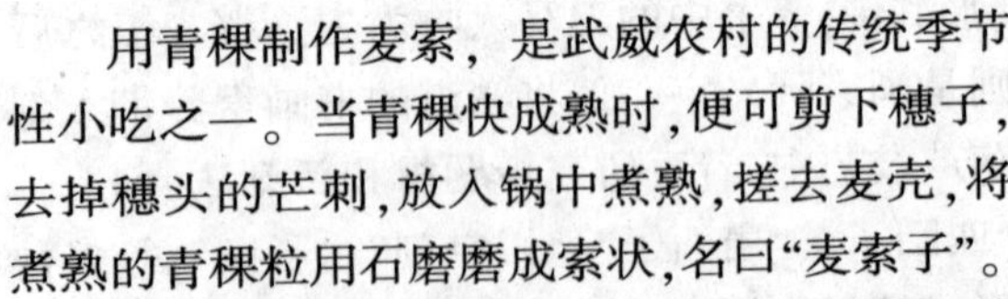

用青稞制作麦索，是武威农村的传统季节性小吃之一。当青稞快成熟时，便可剪下穗子，去掉穗头的芒刺，放入锅中煮熟，搓去麦壳，将煮熟的青稞粒用石磨磨成索状，名曰“麦索子”。

青稞麦索做好后，配以酱油、陈醋、油泼辣椒、蒜泥等，即可食用。其最大的特点是嘴嚼感突出，耐人寻味。清代武威进士郭楷有《偶过田家》诗云：“野老生平见客欢，黄瓜紫葚并堆盘。莫嫌贫舍无兼味，尚有青青麦索餐。”

甘肃分家习俗

甘　农

俗云："树大分枝，儿大分家。"分家意味着儿子长大成人，各立其业。甘肃在旧社会视分家为件大事。分家时，除请同村有威望的家族长者外，必须请娘舅主持。据说娘舅对外甥一视同仁，最公正。分家首先议定赡养父母资产，拨出部分财产作养老用。而父母多习惯与小儿子共同生活，但也有轮流供养者。分家时主房必须由父母居住，给父母提出来的土地，俗称"养根地"，父母去世后，谁赡养，房产、土地归谁有。

财产分定，各家分别另砌新灶。砌新灶时，首先要从老灶取出一两块砖(或土基)砌入。灶砌好，又必须从老灶引火点燃新灶。而新老灶一定要同时燃火生烟，象征祖辈福泽子孙均沾，世代相传，家业兴旺，香烟不断。

女婿分家时，岳父母要送分家饭，包括各种炊具及南瓜。南瓜，甘肃俗称金瓜，谐音"金家"。但忌送瓢、盆器皿，因瓢谐音"嫖"，盆浅，积聚财产不多。

分家后，如有兄弟因贫困出卖房产、土地、牲畜等财产时，须先征询其他兄弟是否收买，不能径行卖给别人。俗称"祖业不外溢"。

沙米凉粉

骆　曼

沙米凉粉，是甘肃河西地区沙乡的传统小吃，鲜美清香，凉爽可口，沙中带甜，风味独特，名传西北，堪称奇珍。

沙米，学名“沙蓬”，藜科，一年生草本植物，多生于流动或半流动沙丘和沙地，又名登厢、登粟、东墙等，夏季遇雨发芽，炎暑迅速生长，九至十一月间成熟。籽粒椭圆形，呈黑色。据分析含蛋白质 16%、脂肪 8%、碳水化合物 6%，是一种营养丰富的野生食物。

《辽史》记：“西夏出登厢”。《大清一统志》记：“东墙似蓬草，实如糜子，十一月始熟。”《魏书》记：“今凉州、银夏之野，土中生草子细如罂粟，堪作饭，俗名登粟，一名沙米。”《史记索隐·河西记》记：“贷我东墙，赏我白粱。”相传古代迷途落伍的士卒，曾以沙米为食，度过难关。1929 年甘肃武威大饥，饿殍遍野，以沙米养命而活者为数不少，所以冠以“沙米”之称。

制作沙米凉粉时，首先将沙米去皮，碾成米粉，过箩，用清水浸泡二至三小时，使其松软。再把无色无味无叶，有一定拉力的小麦秆用清水浸洗后，用开水消毒，然后捞案上待用。

接着把浸泡好的沙米搅匀，陆续倒在麦秆上，用双手揉洗成面浆，用箩过滤后，倒入旺火锅内，不停地搅拌。视锅开后，烧约五分钟，撤火盖锅焖熟，盛入盆内，晾凉，切成细长条，佐以辣子油、蒜泥、芥末水、油炸葱花、酱油、陈醋等，即可食用。

兰州卖水人

清　波

兰州地下水很丰富，下挖三五米，便会挖出清清的涌泉。但水是苦的，不能食用，只能洗衣。所以千百年来，兰州城里人是买黄河水吃的。因此，兰州便有卖水这一行。

兰州卖水人来自甘肃陇南农村。他们来时双手空空，买一条扁担，一对“美孚”牌煤油桶，便干起来。滚滚黄河水，取之不尽，只要吃得下苦，挑来走街串巷，沿街叫卖就是了。

黄河水泥沙多，春夏秋之季，河水是黄色，有时下了暴雨，河水变成了泥糊糊，倒在缸里两小时才能澄清。若是用水急，只须往缸里洒一些白矾或面粉，抄起擀面杖搅几下，不到半小时便是一缸清水。茅盾当年去新疆路过兰州，看见兰州人吃的是含泥沙很多的水，颇为惊奇。

卖水人大都从水北门、桥门挑水，就是现在

的中山铁桥及永昌路北段。由于担水拉水者络绎不绝,那条街春夏秋三季满是泥浆,冬季变成了冰道。

卖水，不在七十二行之列。但兰州的卖水人,也是一种专门职业。直到20世纪五十年代后期,国家投资修建了自来水厂,卖水人才改行转业。

1938年8月，兰州的卖水人为了索要省政府一些部门所欠水费和反对“集训”,集体停止送水,聚集在省府和警察局门前请愿,终于取得胜利。

“烧秦桧”

王九菊

清末民初时,兰州五泉山(今五泉山公园)三圣庙内,塑有岳飞的坐像。庙前则分列秦桧夫妇铁铸的跪像。跪像高1米余,中空,耳、目、口、鼻七窍有孔。从中点火,七窍冒烟,谓之“烧秦桧”。正如河南汤阴岳庙中的联语所云：

蓬头垢面跪阶前,想想当年宰相;
端冕垂旒坐堂上,看看今朝将军。

兰州人民出自对岳飞精忠报国的敬仰和对奸相秦桧的憎恨,每年春节灯会和“四月八”的庙会,游人至此,皆以泥石投击秦桧夫妇跪像,或用鼻涕，唾沫糊其面部，还有的用木柴、纸张、骨头、烂布等物投入像内燃烧，烧得七窍冒烟，火花飞扬，使跪像污头垢面，以泄民愤。

另一对秦桧夫妇像在雷坛河(今兰州市城关区解放门外新桥南边东侧)，在此期间，它们同样遭到游人的焚烧和唾骂。此俗年年如此，从未间断。

抗日战争时期，汪精卫于1940年3月叛国投敌后，兰州人用烧秦桧的办法在中山林(今西北民族学院)孙中山先生铜像前，泥塑汪精卫及其妻陈璧君跪像。虽围以栏杆，但过路人仍以石头、土块乱打，甚至有的以粪便投其面部，唾骂之声不绝。

甘肃民间的舞龙

张尚瀛

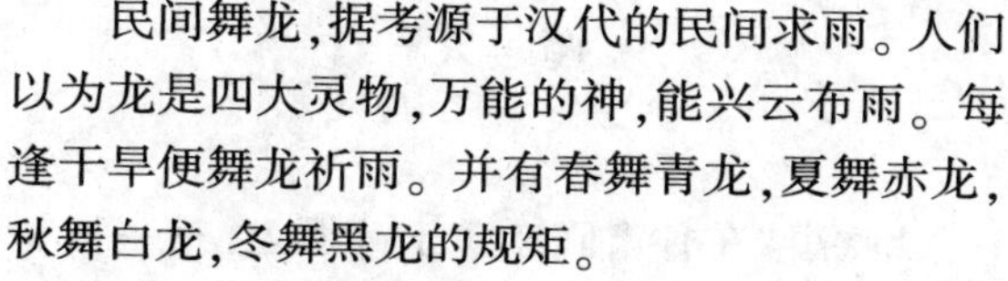

民间舞龙，据考源于汉代的民间求雨。人们以为龙是四大灵物，万能的神，能兴云布雨。每逢干旱便舞龙祈雨。并有春舞青龙，夏舞赤龙，秋舞白龙，冬舞黑龙的规矩。

甘肃由于干旱较多，故历来舞龙的习俗也较普遍。舞龙有十二截、九截、七截之分，多以丝绸或纸用竹条扎绑龙头，龙身以布或纱绢彩绘金鳞，两边镶以红布剪制之火焰，龙尾则以竹扫帚破细染绿扎制。每截装有用纸糊成的长桶形灯台，下安长柄，入夜放油纸芯或蜡烛发光(今多改装电灯)。舞者各持一截，掌头者为首领，在紧锣密鼓中翩翩起舞，或穿街而过，或逢广场兜转圆场，或婆娑掠地……龙头一起各节紧跟，浑然一体，有若腾云凌空，十分壮观。观舞者除呼啸应合外，有抱小孩抢钻龙腹祈求平安者，还有拔几茎龙须，捻成百岁长命索，戴于项颈祈求祛邪除病者。

舞龙队由一乡、一村群众自愿筹资组成。每到机关、商店、民宅，先频点龙头，向主人致吉祥之意，主人则鸣炮表示欢迎，终场后还以烟、茶招待，自动资助。

如今甘肃的舞龙已由祈雨改用于欢庆节日之时。一般于春节“人日”(正月初七日)相继开始，谓之“出窝”。至元宵节后而止，谓之“倒醮”。

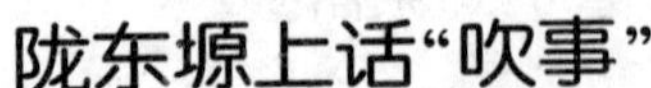

陇东塬上话“吹事”

谢　宠

“吹事”在甘肃陇东黄土高塬上，是一种非专业性的职业。“吹”者，吹唢呐也；“事”者，红白喜事也。举凡民间婚丧寿庆大事，都与此道有不解之缘。

“吹事”们都是本地的庄稼汉，他们下地干

活身不离唢呐，工间休息时便坐在地头吹奏一曲。“吹事”们信息渠道甚多，耳目灵通，某家娶亲，某家出丧，时在某月某日，地在某山某村，都能事先知晓。到日子，不待主家邀约，便衣帽齐整，携带唢呐，前去应事。主家也只以一般宾客招待，他们也不索取报酬，足见民风之淳厚。

凡“吹事”者，必须具备两种硬工夫：一是有腿工，不论高山陡坡，羊肠小道，走在新娘骑的毛驴前、孝子抬的棺材前，都能保持步履平稳，从不半途而废；二是有气功，当地风俗，凡迎亲、送殡，最忌乐声中断，要一路吹奏不停。甘肃环县有名的“吹事”能手沈氏昆仲，能一口气呦呦地吹过两三架大山。“吹事”唢呐曲牌多至百余种，喜事有喜事用的，丧事有丧事用的。

抢寡妇

赵世英

旧时甘肃洮岷地区，有“抢寡妇”的陋俗，直到民国时期还很盛行。这里的妇女，在封建礼教的束缚下，终身遵从“三从四德”，即：在家从父，出嫁从夫，夫死从子的“三从”和妇德、妇言、妇容、妇功的“四德”。夫死之后，妻子应该终身守寡，不能穿红着绿，擦胭抹粉，见生人不能说话，更不能有笑容。寡妇如果改嫁，必须为死去的丈夫守孝三年之后才能考虑。再嫁时还需秘密进行，如果张扬出去，就会遭抢。即：没有老婆的男子，约请多人，埋伏暗处，待迎娶寡妇经过时，出其不意，拦路抢走，俗称“抢寡妇”。抢寡妇没有道理可讲，谁的力量大，寡妇就归谁为妻，被抢的寡妇没有丝毫的人身自由。抢到寡妇的男家便到女方娘家送礼求认亲戚，其父母亲属也不争辩，就逆来顺受地承认抢者为婿，社会也公认为合法婚姻。

由于这一陋俗，所以娶寡妇的男家在迎娶途中也都是邀请亲友中的青壮男子多人持械保护，遇到抢者，则双方互相格斗，往往酿成死伤的悲剧。

甘肃藩署的鸽子

王九菊

清代晚期，甘肃藩台衙门(即布政使，在今张掖路兰州军分区驻地)是全国十八行省最大的金库之一。每年从西北地区征调的几百万两饷银，就在这里保管。当时兰州人烟稀少，生态尚好，瓦蓝色的野鸽遍地都是，入夜多在居民屋檐下栖居。在藩署屋檐下，每晚栖居过夜的野鸽不下几千只。每当更深夜静，野鸽如发现有人接近库房时，立即倾巢而出，连叫带啄，向来人的头上、身上拉粪便。这当然是出于野鸽的自卫本能，但起了保卫大库的作用。因此藩署特准每年拨支库银一百余两，作为阴雨、寒冬时期给野鸽购置饲料的费用，并称之为“奇鸽”，甚至称为“神鸽”。

武林义士蒋万青

李德文

俗云：河州(今临夏市)的鞭杆秦州(今天水市)的棍，凉州(今武威地区)的拳掌称霸王。武风颇盛的凉州被人称之为“铁门槛”。甘肃武威城人蒋万青，世代习武，拜嘉峪关铁牌游击李俊(俗称李佛爷)为师，潜心习武，功夫日深，与祖传拳法相融合，自成一路拳法，以八门掌、十排子手、金枪、六合枪闻名于河西。其为人本分，正直，不逞之徒拜师学艺坚不受纳，武功亦不轻易示人。有恃武功横行乡里者，蒋便施之于威，晓之以理，令其恪守武林之德，施惠于民。为此，人皆尊称为“蒋二爷”。

1931年，陆军骑兵第五军驻守武威，军长马步青闻其名，请他出任武术副官，并许以厚禄。蒋毫不为之所动，婉言谢绝，一时传为美谈。

黄河上的“羊报”

箫　君

在电报、电话还没问世以前，每遇秋季兰州黄河段水位暴涨时，便采用“羊皮胎装水手”的形式，向下游传递汛情，飘流而下的水手，称为“羊报”。

当时兰州白塔山下黄河上建有浮桥，号称黄河“天下第一桥”。河南北两岸各竖铁柱两根，名“将军柱”。在“将军柱”上，刻有水标(尺度)。派有专人昼夜看守，并按水位到达尺度，逐日上报。据史料记载，“将军柱”上的刻度，在兰州水涨一寸，流至河南的水头就高一丈。

“羊报”顺流而下，沿河预报汛情。其方法是：挑选一个水性熟练，体力壮实的人充任水手，将水手缚于浸过油、不透水的羊皮胎上，再带一包“不饥丸”(即熟牛羊肉干，干面食之类)和一壶水。腰系投报水警的“水签”数十枚。在兰州城今中山铁桥附近放入河中，便开始了往下游传递水警的艰巨任务。

“羊报”自兰州出发后，经过许多漩涡、险滩，有重点、有目的地投掷水签。河南地区的水手，随时驾驶小船等候，当兰州“羊报”投递的水签被他们发现捞去后，即报请当局按水签所示的洪峰高度,采取对策。这一土法传递方式,对黄河下游的防汛曾起到很大的作用。

"羊报"投完水签后,便由当地水兵驾船接之登岸,送入驿站,盛情款待。当地官府赏赐白银五十至一百两,令其西返复命。每次大约跋涉三个月之久。

愿为秋瑾提供茔地的尼姑

唐善宝

秋瑾殉难半年后, 遗体由其生前好友桐城吴芝瑛与石门徐自华二女士秘密自绍兴运出,葬于西湖西泠桥畔。此前,西泠大悲庵有位住持尼姑,自愿让出庵边一块空地安葬秋瑾。她法号慧珠,原籍甘肃武威人。

从吴芝瑛、徐自华在为秋瑾卜葬的往来通信中,几次提到慧珠。有一次,吴芝瑛偕丈夫廉泉先生往访慧珠不遇,曾赋七绝四首云:

十年契阔尔何求,潭柘风花不解愁。
闻说能文兼好武,剧怜家世本凉州。
天竺归来不可招,空余烟水思迢迢。
钟声隐约斜阳外,知在西泠第几桥?
道是红羊劫后身,故宫回首泪沾巾。
芒鞋踏遍孤山路,满眼梅花不见人。
到处逢人说慧珠,岳坟西去冷菰蒲。

伤心莫问前朝事,碧血于今有鉴湖。

此诗收于《清诗纪事》。郭则沄《十朝诗乘》记慧珠事云:“西泠大悲庵尼慧珠,愿割庵旁余地葬秋(瑾),事不果。其致吴芝瑛手札自述家本凉州,先世为人保镖,有声江湖间。从父入都,走马卖解,为某邸所赏,量珠聘之。邸老矣,亲授书史,每挈之游西山。拳祸作,一门四散,邸客死草地,衲无所归,爱天竺清幽,故结庵于此。”

从上引诗文可知,这位凉州镖客的女儿,曾一度流落京门,入马戏团卖艺。后被一权贵人物看中,花很大代价娶作小妾,并亲自教她学习文化,颇受宠爱。义和团起义中,丈夫死于外地,自己茫无归宿,遂在杭州削发为尼。

这是一位富有传奇色彩的人物。她割地葬秋瑾的良好愿望,虽由于尚不清楚的原因没有实现,但她所坦露的一片真情确实令人感佩!当时清王朝残酷镇压革命党人,淫威所及,人人自危。故秋瑾就义后,秋之戚友咸恐牵连,均匿不作声;即秋姑、秋夫,亦具禀湘抚呈报断绝关系。在这样恐怖背景下,一个尼姑敢于冒株连风险,愿为烈士献出一块长眠净土,这在彼时彼地,实属难能可贵。

武威大地震

涂作红

民国十六年(1927)农历四月二十三日上午五时二十分,甘肃武威、古浪一带发生里氏八级大地震,震中在黄羊河与杂木河之间的沈家窝铺至冬青顶一带,即北纬36°75′,、东经102°处。这次大地震,武威县损失十分惨重,震塌房屋四十万零八千四百四十一间,摇毁村庄一万九千三百九十九处,死亡居民三万五千四百余人,压死牲畜二十余万头(只),震裂毁坏耕地七千二百四十石(甘肃河西耕地以籽种石数计算面积),毁坏了古凉州的众多名胜古迹。城头上的二十四个城门楼子,除北门楼子外,其余二十三个均被震塌。号称"文笔三峰"的罗什寺塔、大云寺塔、清应寺塔,均被摇倒。城北郊雷台、东岳台、海藏寺等古建筑大部分被毁。

同年农历五月十八日夜间,因地震,杂、大二渠两旁的山峰合拢,堵塞渠道,积聚之水,破堤倾泻而下,水头高数丈,声闻数十里。水从城东十里多处流过。所过之处,人畜皆被淹没,房舍田地化为乌有,沃壤变成石田,共冲没村寨一百三十三座,学校十一所,淹死三千余人,牲畜一万九千六百余头。

刘卫石轶事

张忠诲

1934年，南京《拓荒》杂志，刊载了一篇记者专访，称赞国民参政会秘书长邵力子先生。以自己的薪俸一千五百元，慨助刘卫石发明创造“环转三动式”和“活页吊式”两种“电风扇”。并发短评，称赞刘卫石为“东方之候补爱迪生”。

刘卫石，甘肃徽县水阳乡刘家沟人，早年毕业于甘肃法政专门学校，后致力于机械发明创造。根据当时徽县农民棉花加工的需要，研制成斜皮活轴式轧棉机，使用方便，价格低廉，深受欢迎。后又研制成功“马力联动式轧棉机”，把十架活动式轧机联成一体，用牛、马拖拉，提高生产效率。以上两机被甘肃省政府授予一等技术改革奖。刘卫石在机械发明制造中，“终宵不寝，竟日弗懈”。但因资力有限，难以为继，才有上述邵力子先生之助。但这点帮助仍然杯水车薪，使他最终不得不痛心地放弃这一工作，只落得刻字糊口。

下面是刘卫石在《拓荒》杂志上刊登的一则“启事”：

《刘卫石卖技》启事

无媚骨以悦世，无路术以发财，无妖魔之利喙以吸膏吮血；才无所展，为鬼笑，于是乎不能不学丐。不丐诸人而丐诸技，铜魔万能，生死肉骨。问古今来豪侠英雄，铁汉金刚，谁能逃其劫？冤乎哉！订润例如后：

石章每字一元，牙章每字二元，

铜章每字三元，金章每字六元，

边款题识每事二十元。

牙箸、扇骨、白磁、印盒、茶具、笔盛，水洗面议。

劣石不应，不如例不应，润资先惠，七日取件。

收件处：南京大辉复巷二十一号。

"留一分"

箫君

"留一分"系刘郁芬的谐音。刘郁芬，河北清苑人，冯玉祥部第二师师长。从1925年10月至1929年8月，任甘肃省政府主席，达四年之久。他任甘肃省主席后，苛捐杂税，多达百种。刘为剪除甘肃地方军事势力，曾兴师动众，东征西讨，运输粮秣、辎重，征兵拉伕、牲畜代役。挖战壕、筑工事，动辄征伕数千百人，均自带干粮、工具，义务支差。青壮年拉去当兵，老弱妇孺供应粮草。溃兵散卒，流为匪徒，杀人越货，无恶不作，无业游民，啸聚山林，伏莽行劫。百姓称之为："刘郁芬入甘，土匪遍山；刘郁芬一到，鸡犬不叫。"

记得有次去兰州东郊外婆家，见全村大姑娘、年青媳妇都被藏在地窖、暗室里，深夜才偷偷地放出来，一有风声，马上又藏起来。出外劳动时，用锅墨抹黑脸，披头散发，穿上破烂衣服，故意装成老婆子模样，以逃避刘军抢拉。舅舅说："国民军来催粮，先拉大姑娘，抓鸡又牵羊，全村一扫光。"

1929 年，甘肃空前大旱，死于饥饿、疫病、匪患者约二百四十余万人。但刘郁芬大开烟禁，大面积良田种植鸦片，造成严重缺粮。因此，甘肃人民把刘郁芬的姓名谐音为"留一分"，就是说钱财刮走九成，给老百姓只留下一成，十个人被害死九个，只能留下一个。

"惜阴歌"与"日历歌"

旧　居

20 世纪 20 年代，在兰州小学里流行着两支简短而悦耳的歌曲。我常跟着父亲，让他讲解歌词的意义。父亲曾教我“惜阴歌”,又手把手地指着我幼小的拳头,口唱“日历歌”。虽然年代久远,但仍感很有意思。

“惜阴歌”词是:

晨钟催梦醒,四野鸡声呜呜呜,快整衣襟,快启窗户,空气换清新。梳洗毕,早餐终,再把功课温。禹惜寸阴,我惜分阴,莫误了上课铃。

“日历歌”词是:

阳历算,三百六十五日当一年,高处大月低处小,拳上好分辨。四个月三十日,七个三十一,惟有二月二十八日,四年加一天。

通往麦积山石窟公路的始建

刘大有

被誉为全国四大石窟之一的麦积山,原来交通极为不便。杜甫曾云:“乱水通人过,悬崖置屋牢。”直至近代,人们朝山还是全靠步行或骑驴乘马。

1938年,国民党政府在天水北道区马跑泉设立“天水骑兵军官学校”,蒋介石兼任校长,1947年,蒋不再兼任,任命胡竞先为校长。

当时为了设立摩托化骑兵,胡竞先到南京接来美国顾问团苗梢上校一行九人。他为了让这些美国人能驱车游览麦积山,动员骑校的军士和沿途群众，赶修了从马跑泉到麦积山全长二十多公里的汽车路。

美国顾问团参观麦积山石窟后，对地处深林古寺架险凌空的艺术宝藏极为赞赏，并在当时兰州的《和平日报》上发表观感说："全世界七大工程外又增其一，在两千余年前有此雕塑建筑、绘画之佛迹，足为文明先进之具体证明……。"

"虎标万金油"骗局

张尚瀛

1945年4月3日《甘肃民国日报》刊出一则南洋胡文虎"虎标永安堂重庆制药厂"名义的特大广告，其内容大致说：本堂出品万金油、清凉水、八卦丹、头痛粉四种良药，久已驰名遐宇，兹为适应后方需求，爰在重庆设厂制造。惟万金油良药，上海沦陷区有假冒制造，偷运内地者，诚恐鱼目混珠，故改用电镀白色盒，以资识别。兹为便于西北各地同胞备用起见，特在兰州设立办事处。广告还说："制药厂设重庆七里岗。兰州办事处设益民路(今庆阳路)四三八号西北贸易商行内。"

广告是名叫胡正文的人(自称是兰州办事处经理)送报社刊登的。由于他衣冠楚楚，连广告费

也“暂欠”了。广告刊出以后,胡正文成了道升巷各大药房的座上宾,成天花天酒地,应酬不迭。过了几天,这位经理又在《甘肃民国日报》上刊出一则广告说:“本办事处初到兰州,为报答各界信任虎标永安堂之盛意,定于四月五日至十一日止,前来订购永安堂所出各药者,概以定价七折优待,外埠函购以发邮戳日期为凭。……”并以兰州市中正路一号“亚洲大药房”为批发处。

这则广告刊出后,兰州市的一些药商,争以巨款向胡正文订货。青海、宁夏等地的药商,见报后也电汇货款订货,一时现金、汇款源源滚向胡正文的手中。兰州市的药店去提药,胡答复说:“药品已由航班发出,不日可到。”大家信以为真。一周之后,大家再去催问时,见胡正文包住西北贸易商行的房间已空无一人,连商行也不知其人去向。众药商经报告甘肃省政府经济检查队查询,才知胡正文早已他往,打开房门,仅留一些订货单据、汇款信件,大家才知上当。

这桩巨骗案,不仅大批药商受骗,连新闻单位也被骗入彀。旧社会的尔虞我诈,于此可见一斑。

水梓嘲讽兼差兼薪者

袁 炜

水梓(1884—1973),字楚琴,甘肃榆中县人。北京法政学堂毕业。其性善幽默,喜嘲讽,且长诗词,擅书法。民国时期,曾任甘肃省教育厅长,考试院甘宁青考铨处长。他在上班办公或外出访友时,常乘坐私人的骡子轿车代步。水梓的骡子轿车和他在兰州颜家沟的"水家花园"(煦园),当时都很有名气。一次水梓与众友闲谈,其中有的人在本职之外又兼了许多差(职),实际是"拿干薪,不做事"。当时有人谈起水梓的骡子轿车时,他便借题发挥道:"我的骡子除我外出时拉轿车,在家中拉磨磨面外,还要供妻子儿女们骑坐……。但它虽然身兼数差,只吃一份草,一份料!"说得那些兼职多、拿干薪的人不禁面红耳赤,默然无语。

罕见的记忆力

甄载明

人之记忆力，来自秉赋，似与才学无关。有过目则终身不忘者，亦有不识之无，过耳亦能终身不忘者，予在兰近六十年中，各得一人。兹介绍如次：

党家驹(1897—1962)，字子健，宁夏回族自治区固原人。此人记忆力惊人，特别对数目字一经阅过，即终身不忘，且无丝毫差误。1942年，予在交通部与甘肃省合办之驿运处任秘书，该处有直属胶车运输队数队，专门承运兰州各单位生活用品，如煤炭、粮食等。由予负责并率运输科长携全部运粮账卷，赴省粮食局结算运费。时党子健任粮食局副局长，主管业务，予与其联系后，嘱令我处科长同至彼办公室，由彼口述，我等看账。彼即自上年结账后起，元月由临洮运兰粮食若干斤、斗(秤、斗并用，免在损耗方面出问题)，永登若干斤、斗，临夏、景泰、靖远各若干斤、斗，共运费按吨公里计算，合若干元，如此按月核计，共运粮食若干。四月份运费调整，每吨公里由四角调为六角五分，全年共运粮若干斤、斗，共合运费若干。十分清楚，元、角、分无丝毫不符，真令人惊佩不止。1955年党被聘为甘肃省

文史馆员，适省政府堆放档案之五福楼失火，甘肃省民国时期之田赋、粮食档案，竟付之一炬。党曾在原甘肃省政府、甘肃财政厅任职多年，主要办理田赋粮食，因而对此颇为熟悉，时有人请党对所能记忆之田赋情况，撰写材料，以备查询。党即回忆写出《自民国以来甘肃省田赋粮食情况》一册，五万余字，记述了甘肃田赋数额及征收折色沿革之大要。

马培青，名建谟，青海循化县撒拉族，自幼即随马安良为戈什哈(副官)。此人虽不识之无，但对民国初年马安良任提督时与袁世凯来往之电报，均能背诵如流，惟彼仅知其大意，听其声音，而不识字句，予曾为其作过记录，有时一通电报，通篇骈文，彼读后，须再三推敲，始能辨其词字。马曾任马廷贤参谋长，马廷贤被川军赶出天水后，彼即率马之残部投归马鸿宾。时马鸿宾为国民党三十五师师长，马培青被任为该师骑兵团团长，开往陇东"剿匪"。省政协征集文史资料时，嘱彼撰写其进攻陇东革命根据地资料，予曾任记录，彼逐月逐日将其战斗行踪及所俘我方人员姓名，一一叙述如新。其记忆力之强，颇为罕见。

后记

在中央文史研究馆《新编文史笔记》丛书编辑部的关心和指导下，继甘肃分册第一册《陇史掇遗》之后，我馆主编的文史笔记第二册又和读者见面了。这本书定名为《陇原鸿迹》。

编辑这本书的目的和宗旨，与《陇史掇遗》相同，即以马克思主义、毛泽东思想为指导，主要汇集短小明快的文章，一文一事地反映甘肃近百年来有文史价值的遗闻轶事、名胜古迹、民族风情和社会习俗等，以便使读者更多地了解甘肃，热爱甘肃，为甘肃的建设事业出力，从而使甘肃的两个文明建设在改革开放的大潮中，在欧亚大陆桥开通的大好形势下得以迅速发展。

本书与《陇史掇遗》不同的地方，是注意了扩大社会面，博采社会各界人士以及文史界名流之作，更显得丰富多彩。特别值得提出的是，根据笔记丛书编辑部的意见，收入了青海省的几篇笔记，更使本书生色。在此，我们谨向甘、青社会各界赐稿人士以及中共青海省委统战部表示诚挚的感谢。

我们还要衷心感谢为本书审稿、把关的特约顾问杜大仕、赵胜勤，顾问张思温、赵燕翼，编审匡扶、王沂暖、冯绳武、汉国萃。赵志凡、赵世英参加了主编工作，编辑马志芬和本馆全体工作人员也为本书的编辑工作付出了辛勤的劳动。

本书特约编审、丛书编辑部主任姚以恩为本书审阅、把关，在此表示衷心感谢。

本书疏失不足之处，在所难免。希望得到读者和方家的指正。

编　者